In de val van de verleiding

Kjell Westö
In de val
van de verleiding

Vertaald uit het Zweeds
door Clementine Luijten

UITGEVERIJ DE GEUS

De vertaalster ontving voor deze vertaling een werkbeurs van
de Stichting Fonds voor de Letteren

Deze uitgave is mede mogelijk gemaakt dankzij een bijdrage van
Svenska Institutet te Stockholm en een bijdrage van
FILI – Finnish Literature Information Centre, Helsinki, Finland

Oorspronkelijke titel *Lang*, verschenen bij Norstedts Förlag, Stockholm
Oorspronkelijke tekst © Kjell Westö 2002
The original edition of the work has been published by Söderström & Co., Helsinki
Nederlandse vertaling © Clementine Luijten en Uitgeverij De Geus BV,
Breda 2004
Omslagontwerp Uitgeverij De Geus
Omslagillustratie © Brooklyn Productions/Corbis/TCS
Foto auteur © Ulla Montan
Druk Koninklijke Wöhrmann BV, Zutphen
ISBN 90 445 0419 3
NUR 302

Verspreiding in België via Libridis nv, Industriepark-Noord 5a,
9100 Sint-Niklaas

In de val van de verleiding

I

Op een novembernacht bijna drie jaar geleden ging de telefoon in de hal. Mijn vrouw Gabriella, die lichter slaapt dan ik, werd wakker van het gerinkel en begon mij stevig door elkaar te schudden. De grote vertrouwdheid met de plotselinge gebeurtenissen en toevallige ontmoetingen van het stadsleven heb ik zelf altijd met mijn vriend en collega Lang gedeeld. Maar Gabi wordt nog steeds getekend door haar jeugd in een slaperig dorpje aan de scherenkust; ze is een wilskrachtige en flinke vrouw maar heeft de neiging hevig van streek te raken door het onverwachte. Bovendien beleefden we net een herfst vol veranderingen en onrust. Mattias, Gabi's zoon, die ze gebaard had toen ze nog maar negentien was, was naar Åbo verhuisd om aan de Academie te studeren. Kort daarop had Gabi's vader een licht hartinfarct gekregen. Daarom was Gabi hevig verontrust toen ze me die novembernacht wakker maakte. 'Er is iemand dood!' ratelde ze. 'Word wakker, Konni! Papa of Mattias is dood, ik weet het zeker, het is een van die nachten!' Ik deed onwillig mijn ogen open en zag mezelf als in een oude film noir: de wind die aan de dakpannen rukte, het geroffel van de regen tegen het slaapkamerraam, de halfopen deur naar de hal en woonkamer, de telefoon die rinkelde, motorgeluid dat dichterbij kwam, de streep licht die zich over de woonkamermuur bewoog toen de nachtbus Topeliusgatan omhoogzwoegde naar het plein om vervolgens te doven toen de bus de schacht van Runebergsgatan in dook. 'Als je toch wakker bent, kun je wel opnemen ook', mopperde ik kwaad, maar zonder succes want Gabi was als versteend; ze zat rechtop in bed, verstijfd van angst, haar blote voeten staken onder het dekbed uit dat ze dicht om zich heen had getrokken. De telefoon bleef hardnekkig rinkelen. Met stijve benen liep ik naar de hal en nam zo korzelig als ik maar kon op. De stem aan de andere kant was van Lang en klonk gehaast, niet lijzig en ironisch zoals altijd. Lang zei dat hij vreselijk in de knoei zat, hij gebruikte exact die woorden, 'vreselijk in de knoei', zei hij, 'ik ben in een regelrechte nachtmerrie terechtgekomen.' Ik nam hem niet serieus, het was eerder gebeurd dat Lang ver na middernacht had gebeld, allesbehalve nuchter en om de meest ongebruikelijke of banale dingen. Ik vroeg Lang of hij wist hoe laat het was, ik zei dat hij Gabi de stuipen op het lijf had gejaagd, dat ze dacht dat haar vader plotseling was overleden. Ik voegde er zuur en tamelijk kinderachtig aan toe dat als Lang zonder condooms zat, hij aan het verkeerde adres was en op een verkeerd tijdstip bovendien: er waren kroegen om naartoe te gaan en benzinestations die 's nachts open waren en op Skillnaden zat Select, brieste ik. Mijn commentaar was een toespeling op het leven dat Lang na zijn laatste scheiding jarenlang had geleid, een leven waarop ik vaak jaloers was geweest. Maar Lang nam geen notitie van mijn sarcastische opmerkingen, hij klonk alleen nog dringender. 'Daar gaat het niet om,' zei hij met dezelfde angstige en gejaagde stem, 'ik heb hulp nodig, ik zit vreselijk in de problemen en ik moet met iemand praten die het hoofd koel kan houden. Heb je trouwens een spade? Een stevige, niet zo een met een plastic steel die alleen maar afbreekt.'

Lang en ik hadden een langdurig gemeenschappelijk verleden, en ik heb nooit de gewoonte gehad nee tegen hem te zeggen. Lang is bovendien een sterk en charismatisch man, moeilijk af te wimpelen, moeilijk te verslaan. Volgens Gabi ben ik te toegeeflijk en heb ik me altijd laten gebruiken door Lang en andere jeugdvrienden, maar dat doet er nu niet toe: dat ik er binnen een kwartier in geslaagd was me aan te kleden, naar de zolder te gaan en vervolgens op Tölö Torg stond met een stevige ijzeren spade in mijn hand, is een feit waaraan niet te tornen valt. Toen al voelde ik me onrustig. De regen stroomde neer en het plein was verlaten, maar in Tin Tin Tango en Mamma Rosa's bar zaten nog mensen, en ik zag dat degenen aan de raamtafeltjes mij en mijn spade geïnteresseerd opnamen. Lang had bovendien gezegd dat hij met de auto zou komen, en aan die mededeling klopte iets niet. Lang was een nachtdier maar hij reed zelden auto na middernacht, daarvoor dronk hij veel te graag en veel te veel. Maar genoeg nu over mijn wachten: nadat Lang met hoge snelheid het plein op draaide, het rechtervoorportier geopend had en ik was ingestapt, wilde hij meteen de stad uit rijden. Hij zag ontzettend bleek, zijn kaken hield hij strak op elkaar en zijn handen omklemden het stuur van de Celica zodat zijn knokkels wit werden. Zijn plotselinge verschijning op het plein had duidelijk de interesse van de verveelde kroeglopers gewekt en op dat moment begon ik me echt ongemakkelijk te voelen. Mijn intuïtie ontwaakte, en fluisterde me toe: Mysterie! Verborgen zaken! Gevaar!

Dus zei ik zo luchtig mogelijk tegen Lang dat ik me niet de geestelijke duisternis van Esbo of Sibbo liet invoeren voordat ik wist wat er aan de hand was. Mijn pas gewekte maag was gaan knorren, en ik stelde voor een pilsje en een hamburger in een nachtcafé te nemen, dan kon Lang vertellen terwijl we aten, de rekening was voor mij. Lang accepteerde het aanbod, en we reden over een door de regen natte en gladde – ik vroeg hem herhaaldelijk gas terug te nemen – Mannerheimvägen naar een benzinestation in Brunakärr. Daar bleek Lang zo geschokt en verward te zijn dat hij zijn deel van de afspraak niet kon nakomen. Hij begon ver terug in de tijd, en vertelde niet in chronologische volgorde of met enige samenhang. Het leek alsof hij mij door ongedateerde, losse herinneringen een beeld wilde schetsen van hoe zijn ogen langzaam maar zeker werden geopend, hoe hij langzamerhand begon te begrijpen waar zijn onbezonnen verliefdheid op Sarita hem toe leidde. En, dacht ik, waartoe deze hem vervolgens hád geleid. Want hoewel Langs uiteenzetting onsamenhangend was, verschafte deze me toch enige aanknopingspunten. De namen van Sarita, Marko en Miro kwamen steeds terug, en toen Langs gespannen, soms zelfs bijna verstikte stem eindelijk bij het heden kwam, wist ik al dat er iets verschrikkelijks was gebeurd, en ik vermoedde zelfs wat dat was. Mijn vermoedens werden versterkt doordat Lang verse, rode striemen in zijn hals had, striemen die hij probeerde te verhullen door de kraag van zijn jas op te zetten. Waarschijnlijk heeft een doorsnee westerse man van mijn leeftijd zo veel politieseries en thrillers op tv gezien dat hij een speciale intuïtie heeft ontwikkeld voor bepaalde soorten misdrijven. Dat is in ieder geval mijn verklaring voor mijn scherpte die nacht.

Ik wachtte dus niet tot Langs verhaal zijn hoogtepunt zou bereiken. In plaats daarvan confronteerde ik hem met de regelrechte vraag waarom hij midden in de nacht in een auto reed en Helsinki wilde verlaten. Lang bekende zonder omhaal, en ik verklaarde meteen dat mijn betrokkenheid bij de zaak hier en nu eindigde, in het Teboilcafé in Brunakärr om 02.50 uur in de nacht van 14 op 15 november 2000. Ik zei tegen Lang dat wat hij ook had gedaan uit liefde of haat, hij daar zelf verantwoordelijk voor was. Onze vriendschap was meer dan dertig jaar oud en had veel doorstaan, maar dat was nog geen reden dat ik, een onschuldige, medeplichtig zou worden aan een misdaad in welke categorie dan ook. 'Zulke dingen kun je niet van je vrienden vragen, Lang', zei ik en ik raadde hem aan onmiddellijk naar het politiebureau in Böle te rijden en zich aan te geven. Lang schudde zijn hoofd en begon te huilen, we bleven nog even zitten, we voerden zacht en fluisterend een gesprek terwijl de nacht buiten regenachtig en zwart was, en toen gaf ik toe: ik leende hem, tegen beter weten in, mijn spade uit.

Gedurende de hele rechtszaak en zolang de kranten erover schreven, was ik bang vanwege dat met die spade. De avondkranten zwolgen in schreeuwende koppen, en in het landelijke opsporingsprogramma op tv zochten ze mensen die een licht konden werpen op Langs doen en laten die nacht. Je kunt je voorstellen hoezeer het blazoen van het tegenwoordig toch al zo bescheiden Finse schrijverscorps bevlekt zou raken als zou blijken dat er niet één, maar twee autochtone romanschrijvers bij de zaak betrokken waren.

Maar Lang was loyaal, hij heeft nooit onthuld van wie hij de spade had gekregen, maar hield koppig vol dat die van hemzelf was. Om onbegrijpelijke redenen meldde zich ook niemand van de klanten uit Mamma Rosa of Tin Tin Tango om te vertellen over de man die door Lang was opgepikt op Tölö Torg. Wel waren er getuigenissen dat Lang in een benzinestation in Brunakärr had zitten praten met een onbekende en onbevredigend beschreven man, die werd opgeroepen zich bekend te maken (in het signalement stond vermeld dat ik kaal was, wat absurd is; ik heb weliswaar een tamelijk hoge haargrens, maar dat is niet hetzelfde als kaal). Lang ontkende met klem dat die ontmoeting had plaatsgevonden: inderdaad had hij aan hetzelfde tafeltje gezeten als een man van in de veertig, gaf hij toe tijdens het verhoor, maar dat was een volslagen vreemde geweest en ze hadden geen gesprek gevoerd, hooguit enkele woorden gewisseld over het troosteloze herfstweer en slapeloosheid.

Zolang ik me kon herinneren was ik jaloers geweest op Lang. Christian Lang had vaste verkering op zijn dertiende en haar op zijn borst op zijn zestiende, op school was hij aanvoerder van zowel het ijshockey- als het voetbalteam en hij slaagde voor zijn eindexamen met vijf keer lof en een eindlijst waarvan het gemiddelde ver boven de negen lag. Toen hij vijfentwintig was, ontving hij een half dozijn prijzen van verschillend kaliber voor zijn debuutroman, en tien jaar en een handvol romans en een essaybundel later veranderde hij in een tv-presentator met een beeldvullend charisma, die zijn gasten wist te verleiden tot gewaagde en zeer persoonlijke gesprekken.

En nu groeide Langs bekendheid nog meer, maar deze keer was het geen bekendheid om jaloers op te zijn. Zelf kwam ik met de schrik vrij, en wat eraan bijdroeg dat ik er niet bij betrokken raakte, was uitgerekend mijn anonimiteit. Ik had het aan mijn John Doe-uiterlijk te danken en aan het feit dat ik nooit was geslaagd in het beroepsleven, dat ik nog steeds een vrij man was met een zeer onbetekenende, maar godzijdank onbevlekte reputatie. De enige die alles begreep was Gabi: in de weken dat de rechtszaak duurde, keek ze naar me zoals alleen een echtgenote naar haar man kan kijken met wiens spade op een donkere novembernacht een kuil voor een lijk is gegraven.

2

Later, in de lange gesprekken die we voerden en in de brieven
die hij stuurde nadat hij had besloten dat ik zijn verhaal zou
vertellen en publiceren onder mijn eigen naam, wees Lang me
er herhaaldelijk op dat hij zich nooit had kunnen indenken dat
zijn affaire met Sarita zo lang zou duren. Want, zo meende
Lang, de omstandigheden en atmosfeer die aan hun eerste
ontmoeting kleefden, waren al een garantie geweest voor kort-
stondigheid.

Het was, vertelde hij, op een avond ergens mid-
den juli, tijdens een frisse, bewolkte zomer, die wat Lang betrof
getekend werd door omschakelingen en heroriëntering: hij
was dat voorjaar gescheiden van zijn tweede vrouw, zijn zoon
uit zijn eerste huwelijk was in zijn latere tienerjaren en er waren
duidelijk tekenen dat de jongen drugs gebruikte, daarbij had
Lang een stormachtige liefdesaffaire gehad met zijn vijftien jaar
jongere studioregisseuse en had hij bovendien het vermogen
tot schrijven verloren. Hij bracht de hele zomer in de stad door.
Zijn tv-show lag stil, maar Lang had de bedoeling het komende
seizoen te plannen – het hele voorjaar waren de kijkcijfers
teruggelopen, en de directeur van de omroep had Langs producent in heldere bewoordingen meegedeeld dat vernieuwing
noodzakelijk was – en daarnaast wilde hij beginnen aan een
nieuwe roman. Het was, zei Lang, belangrijk dat ik dat begreep: hij was in de stad om te werken, niet om achter de
vrouwen aan te zitten.

Maar zelfs in die grijze en kille zomer waren er een paar
bijzondere avonden waarin de lucht tot in de schemering warm
en stil en dik over de stad lag, avonden waarin Helsinki ge-
drenkt werd in etensluchtjes en parfum, de hemel tot lang na

het intreden van de duisternis melkachtig wit was en de adem van de mensen geurde van geheimen en verwachtingen. Een van die avonden herinnerde Lang zich met een bijna fotografische precisie. Hij had de hele dag in zijn werkkamer aan Villagatan doorgebracht, hij had geduldig achter zijn pc gezeten, maar ideeën noch woorden hadden zich geopenbaard. Lang had veel te veel koppen instantcappuccino gedronken, zijn oude maagzweer was weer gaan opspelen en daarbij, gaf hij toe, had hij zich ziek van eenzaamheid gevoeld. In de schemering ging hij daarom naar de Corona Bar en dronk twee flesjes mild donker bier. Een paar tafeltjes bij hem vandaan zat een man met een borsalino met veer, en hield audiëntie. De man zat in een rolstoel, zijn rechterbeen zat tot zijn dij in het gips, en Lang herkende hem: het was een oude rockster die een paar dagen geleden van een balkon was gevallen, zijn been had gebroken en daarmee grote koppen in de avondbladen had gekregen. Lang zat een poosje te luisteren hoe de rockster tegen zijn bewonderaars zat te oreren, hij had het over Los Angeles en zijn vele gitaren die hij *skebat* noemde. Lang werd het luistervinken algauw zat en ging naar Bar 9, waar hij een bord gewokte kip met noedels at. Nadat hij had gegeten en een klein flesje rode wijn had gedronken, vertrok hij naar Skillnaden en glipte bij Kerma naar binnen om naar een meisjestrio te luisteren dat oude soulnummers zong. Terwijl het trio zong, dronk Lang twee glazen wodka met ananassap, en later raakte hij aan de bar met een van de zangeressen in gesprek. Hij prees hun vertolking van 'Stand By Me' en stelde voor dat ze een ander nummer van Ben E. King, 'I Who Have Nothing', in hun repertoire zouden opnemen. Tot zijn verbazing kreeg hij te horen dat de vrouw (degene die echt kón zíngen, zei Lang verontwaardigd tegen mij) 'I Who Have Nothing' niet kende en Ben E. King al helemaal niet. Lang voelde zich opeens oud en bedaagd, en begraven onder een ondoordringbare laag nostalgische trivialiteiten. Hij wilde zich revancheren, hij wilde de zangeres vragen of ze hem misschien op tv had gezien, maar hij kon de woorden niet over zijn lippen krijgen; hij was bang dat ze zou antwoorden dat ze geen tv had, dat haar leven bestond uit het zingen van deze gevoelige oude songs waarvan ze de oorsprong niet kende. Dus zweeg Lang, en de zangeres vond algauw ander herengezelschap. Daarna, bekende Lang, dronk hij veel te veel glazen wodka met ananassap, en toen hij de drie blokken naar huis liep, naar het pas gekochte maar tamelijk uitgewoonde driekamerappartement op Skarpskyttegatan, was het al licht. De vroege ochtend was mooi op een kalme en ernstige manier; de zon was een bleke pastille achter de wolken in het oosten, dunne nevelsluiers dansten over het voetbalveld voor de Johanneskerk en wikkelden zich even om de dubbele torenspits en Ferlanderska Huset en het Museum voor Toegepaste Kunst, om gauw weer uiteen te drijven. Lang werd getroffen door de schoonheid van zijn stad: hij stond een tijd op het verlaten voetbalveld en keek alleen maar, merkte hoe hij langzaam ontnuchterde in de vochtige ochtendlucht. Toen hij eindelijk thuis was, sliep hij tot halfeen, stond op, dronk een halve liter water en at drie sneetjes knäckebröd met vettige stukken tonijn als beleg. Toen sloeg hij het ochtendblad open, verdiepte zich in het programmaoverzicht en constateerde grimmig dat de omroep waarvoor hij werkte zijn ambitieuze praatprogramma had vervangen door het gebruikelijke zomeraanbod: sport, samenzang en anale seks.

De kater hield Lang de hele middag en halve avond in zijn greep. Hij zapte langs de tv-zenders tot hij zich beter begon te voelen, en tegen tienen ging hij naar Stora Robertsgatan om een hapje te eten. Hij koos een eenvoudige pizzeria waar je panpizza kon nuttigen op een van de hoge barkrukken voor het raam. De gelegenheid was verlaten, maar terwijl Lang op zijn pizza zat te wachten, ging de deur open en een donkerharige vrouw van een jaar of vijfentwintig kwam binnen. Ze liep naar de bar en Lang observeerde haar terwijl ze haar bestelling deed.

Ze was slank en tamelijk lang, wat nog versterkt werd door haar schoenen met plateauzool en blokhak. Haar gezicht was eerder interessant dan mooi in de eigenlijke betekenis, het leek klein in verhouding tot het langgerekte lichaam en hoewel haar trekken fijn waren, kwamen ze Lang op de een of andere manier als onvergelijkbare entiteiten voor; alsof de donkere ogen, de kleine wipneus en de brede mond met de volle onderlip niet bij een en dezelfde persoon hoorden maar deel uitmaakten van een schets voor een montagefoto. Haar broek was zwart en zat strak over haar heupen en dijen, maar de pijpen liepen naar beneden toe uit. Haar truitje was paars van kleur en zat net zo strak, en Lang kon het niet laten naar haar borsten te kijken die behoorlijk groot leken terwijl ze zo dun was: silicone of push-up of allebei, dacht hij.

Langs observaties, gaf hij naderhand toe, gingen algauw een goddeloze alliantie aan met zijn vooroordelen en kennis over de sociale geografie van de stad: toen hij en de vrouw tegelijk hun panpizza kregen, had hij voor zichzelf al uitgemaakt dat ze een Russische of Estse prostituee was. Op hetzelfde moment begon het, als op een gegeven teken, buiten te regenen. Lang viel hongerig op zijn pizza aan, sneed hem in vieren, wikkelde een van de stukken in een papieren servet en begon te eten. Maar de vrouw was slechtgehumeurd. 'Waarom staat er geen zout op tafel?' vroeg ze chagrijnig en ogenschijnlijk aan niemand, en ze voegde eraan toe: 'Zelfs in de slechtste tenten staat er een zoutvaatje op tafel.' Lang vond dat haar Fins een accent had, wat zijn opvatting over haar oorsprong en beroep nog versterkte. De vrouw herhaalde haar verzoek om zout, nu een toonaard hoger, scheller, scherper. Lang verloor zijn kalmte. 'Hou op, verdomme,' zei hij, 'die pizza's zijn zout genoeg. Zijn jullie daar in Sint-Petersburg tegenwoordig zo verwend dat je je niet meer fatsoenlijk kunt gedragen?' 'Hoezo Sint-Petersburg?' zei de vrouw verbaasd. 'Waar kom je zelf vandaan, ouwe zak? Haparanda?' Lang hoorde nu dat ze helemaal geen accent had, zijn vooroordelen hadden verkeerde frequenties in zijn gehoorgangen veroorzaakt. Hij besloot haar te negeren. Ze kreeg haar zoutvaatje van de norse pizzabakker, en terwijl ze zout over haar Vesuvio strooide, liet ze haar blik door de kale ruimte glijden, waarbij ze een fractie van een seconde dwars door Lang heenkeek. Vervolgens zaten ze daar hun pizza's weg te kauwen en keken ze naar buiten waar de regen was toegenomen tot een kille stortvloed die de trottoirtegels deed glimmen. Het was, zei Lang tegen mij, een eenzame en koude zomer in de stad Helsinki en de drie mensen – Lang, de vrouw en de kok – in het eettentje symboliseerden bij uitstek de kilte die zich sinds het voorjaar had vastgebeten. Maar plotseling gebeurde er iets. Als door een kosmisch toeval, of doordat hun beider bloedsuiker op een normaal niveau stabiliseerde, ontdooide zowel Lang als de vrouw. Ze keken op – als op een gegeven teken, beweerde Lang – en keken naar elkaar. Lang vond dat de blik van de vrouw warmer werd terwijl ze hem aankeek, en hij voelde zijn eigen gezicht veranderen; zijn ene mondhoek werd omhooggetrokken tot een voorzichtige halve glimlach. Toen zeiden ze in koor: 'Er zit tomatensaus bij je mond.' Ook het verlegen gelach dat volgde, klonk tegelijk, even lang, voortgebracht in dezelfde toonsoort. Toen het lachen verstomd was, zei de vrouw: 'Sorry, maar ik heb een slechte dag gehad.' Lang antwoordde: 'Ik ook.' De vrouw zei: 'Je komt niet uit Haparanda.' 'Nee,' antwoordde Lang, 'en jij niet uit Sint-Petersburg.' 'Nee, inderdaad,' glimlachte de vrouw, 'ik ben er zelfs nooit geweest.' 'Ik ook niet', zei Lang en hij vervolgde: 'Mijn opa en de beide broers van mijn moeder zijn in de oorlog gesneuveld. Onze familie haat Rusland. Dat wil zeggen, ik haat niet, ik bewaar gewoon een respectabele afstand.' Hij hoorde zelf hoe dom en overdreven vertrouwelijk zijn opmerking klonk en kon niet voorkomen dat hij bloosde: hij voelde hoe zijn wangen en oren begonnen te gloeien. 'En waar kom jíj vandaan?' vroeg hij vervolgens om haar aandacht af te leiden. 'Nergens vandaan', zei de vrouw. 'Zo voelt het in ieder geval. En jij?' 'Hiervandaan', antwoordde Lang en hij maakte een armbeweging die bedoeld was de stad buiten genereus te omvatten. 'Ik weet wie je bent,' zei de vrouw, 'jij bent Lang, ik heb je op tv gezien.' 'Christus', zuchtte Lang en hij wreef vermoeid in zijn ogen. 'Maak je geen zorgen,' zei de vrouw, 'ik bewonder je absoluut niet. Ik vind dat je je gasten veel te vaak onderbreekt. Bovendien transpireer je te veel, je gezicht glimt het laatste kwartier altijd zo akelig.' 'Aha', zei Lang droog en hij staarde lusteloos naar zijn laatste stuk pizza. 'Bied me een glas wijn of zo aan, Lang', zei de vrouw en haar toon was opeens bemoedigend. 'Ach, waarom niet?' antwoordde Lang en hij voegde er sarcastisch aan toe: 'Na drie kwartier begint mijn gezicht toch akelig te glimmen.' 'Doe niet zo dom,' zei ze, 'ik zie toch dat je eenzaam bent. Alleen echt eenzame mensen blazen tegen vreemden in een restaurant. En bovendien…' 'Bovendien wat?' vroeg Lang toen ze aarzelde. Ze keek hem aan, haar blik was spottend. 'Ik wil weten of je privé een betere luisteraar bent dan op tv', zei ze vervolgens. Toen ze de straat op gingen, was het opgehouden te regenen, de wind had scheuren in het wolkendek getrokken en een paar knipperende lijnvliegtuigen passeerden boven de donker wordende stadshemel. 'Je moet één ding weten,' zei ze toen ze naar het zuidwesten liepen op zoek naar een redelijke kroeg, 'ik ga nooit met beroemdheden naar bed, alleen met nobodies.' 'Dat was een woordspeling', merkte Lang op. 'Hoezo?' vroeg ze. 'Je gaat alleen naar bed met mensen die geen lichaam hebben', zei Lang. Ze keek hem boos aan en zei: 'Ik begin me af te vragen of je op tv toch niet beter bent.' 'Eén-nul voor jou', antwoordde Lang.

Ze loog niet, in ieder geval niet wat betreft 'eerste nachten': ze sliep die nacht op de bank in Langs woonkamer en hij mocht haar niet eens kussen; toen hij het probeerde, weerde ze hem zacht maar resoluut af. Lang was uiteraard niet in de positie zich uit te spreken over de vraag of hij deugde als luisteraar, maar in ieder geval was hij die avond al het een en ander te weten gekomen: dat haar familie tijdens haar jeugd van hot naar her was verhuisd, dat ze daardoor vaak van school was veranderd en nooit ergens wortel had geschoten, dat ze naar Helsinki gekomen waren toen ze zestien was en dat ze een paar jaar later eindexamen had gedaan aan een school in een buitenwijk, dat ze geprobeerd had toegelaten te worden op de toneelschool en tot de allerlaatsten had behoord die werden afgewezen en dat ze daarna aan de universiteit had gestudeerd, psychologie en literatuur onder andere, maar dat ze er na een paar jaar genoeg van had gekregen. Ze vertelde dat ze Langs naam voor het eerst had gehoord tijdens een werkcollege proza over moderne autochtone literatuur: een van haar studiegenoten had een werkstuk geschreven waarin hij de invloed aantoonde van Jean-Henri Quedecs theorie over de simulatorische subjectparadox van het dubbele zijn op Langs romans. Het was, zei ze, uitgerekend dat werkstuk dat haar had doen inzien dat ze alles behalve literatuurwetenschapper wilde worden. Toen ze dat vertelde, had ze allang haar paarse truitje uitgetrokken. Ze droeg er een nauwsluitende top onder, een wit hemdje eigenlijk, en toen Lang kort tevoren was opgestaan uit zijn stoel om in de keuken een nieuwe fles wijn open te maken, was hij achter de bank langs gelopen; ze had licht voorovergebogen gezeten en hij had een groot stuk blote huid gezien, en onder haar huid enkele ruggenwervels die zich zeer duidelijk aftekenden in het ochtendgloren dat al door het raam naar binnen sijpelde. Met het beeld van haar blote rug op zijn netvlies zei Lang nu tegen haar dat hij zich schaamde dat hij zich zijn hele volwassen leven had beziggehouden met zulke abstracte en levensvreemde zaken als het schrijven van literatuur en praten met mensen op tv. Ze keek hem onderzoekend aan, zei toen ernstig: 'Je kijkt naar me alsof je een beeldhouwwerk bekijkt. Ik denk dat je zozeer estheet bent, dat het je zwaar valt om mens te zijn.' Lang was zo van zijn stuk gebracht dat hij geen woord wist uit te brengen. 'We hebben uren samen doorgebracht, ik zit op je bank en drink je wijn, maar je hebt niet eens gevraagd hoe ik heet', vervolgde ze. 'Ik heet Sarita.' 'Ik heet Christian,' zei Lang schaapachtig, 'maar dat wist je al. Mijn vrienden noemen me Kride.' 'Vrienden,' zei Sarita, 'heb je die dan?' Lang zweeg, hij wist niet wat hij moest antwoorden, ze maakte dat hij zich onzeker voelde. Toen hij niets zei, begon Sarita te praten over haar zoon, die zes zou worden en Miro heette en die zomer bij zijn oma in Virdois logeerde, en ze vertelde dat ze als researchredacteur bij een interviewprogramma had gewerkt dat op een andere zender werd uitgezonden dan die waar Lang voor werkte, maar dat ze op dit moment assistente was bij een modefotograaf, en nu bovendien moe begon te worden en graag een paar uur op Langs bank wilde slapen. Lang wilde vragen waarom ze het intellectueel stimulerende researchwerk had ingeruild voor de uiterlijke wereld van de mode, hij wilde vragen waar ze woonde en wie de vader van Miro was, maar in plaats daarvan vroeg hij: 'Hoe oud ben je?' 'Ik heb vele leeftijden,' antwoordde Sarita, 'welke wil je hebben?' Lang zei welterusten en ging naar zijn kamer, lag een poosje te draaien, ging steeds weer op zijn andere zij liggen, transpireerde en vervloekte zijn actie sterke koffie te zetten toen ze thuis waren gekomen uit de kroeg. Hij stond op en liep naar de woonkamer. Sarita sliep, ze had het dekbed dat hij haar had gegeven al weggeschopt. Lang ging in de stoel zitten waarin hij die nacht ook had gezeten, hij zat te kijken naar haar halfopen mond en de verzameling armbanden in verschillende kleuren om haar rechterpols. En hij keek naar het donkere haar dat uitgewaaierd over het kussen van de bank lag en naar haar tamelijk diepe navel die oprees en daalde wanneer ze ademde. Toen al, zei hij later tegen mij, wist hij heel goed wat er bezig was te gebeuren.

3

Toen Lang opstond, was Sarita van zijn bank verdwenen. Ze had geen visitekaartje of briefje achtergelaten. Het weer was helder maar de wind was toegenomen tot stormachtig; toen Lang door het keukenraam naar buiten keek, zag hij scherp afgetekende schapenwolken langs de blauwe hemel jagen, hoog boven de binnenplaats. Hij ging naar een tearoom op Femkanten en kocht een croissant en een sandwich. De verkoopster, een jong meisje, ontmoette zijn blik en glimlachte verlegen maar samenzweerderig, alsof Langs bekendheid hun geheimpje was. Hij vroeg of ze de inkopen wilde inpakken, keerde terug naar huis, zette koffie en nuttigde zijn ontbijt. Toen hij klaar was met eten schoor hij zich, douchte en stond vervolgens halfnaakt voor de slaapkamerspiegel gezichten naar zijn blote bovenlichaam te trekken. Lang was naar verhouding in goede conditie en hij hield zich zorgvuldig aan een verstandig en vetarm dieet; toch kon je zien dat hij ouder werd, zijn gezicht was pafferig en contourloos na de twee doorwaakte nachten, zijn ogen waren vermoeid en opgezwollen en hier en daar begon zijn vel wat ruim te zitten, daar waren geen goedgetrainde spieren tegen opgewassen.

Terwijl Lang voor de spiegel stond, besefte hij dat hij Sarita's telefoonnummer niet had, dat hij haar achternaam niet wist en ook niet waar ze woonde: hij had haar spoorloos laten verdwijnen. Hij trok een zwarte stretchshort, een winddicht sportjack en zijn Air Cushionschoenen aan, en liep naar beneden. Op de binnenplaats pakte hij zijn fiets uit de berging, reed de poort uit en sloeg af richting Femkanten, hij fietste door de nauwe Sjömansgatan naar de westelijke havens. Hij

nam de weg naar Gräsviken, trapte voorbij het ten dode op-
geschreven jongerencentrum Lepakko richting Drumsö. Hij
hield de noordkant van het eiland aan, fietste vervolgens over
de bruggen naar Svedjeholmen en Lövö, zonder zich iets aan te
trekken van de koude wind die hem kippenvel op zijn blote
benen bezorgde. Vanaf Lövö draaide hij weer richting centrum. Hij volgde zo veel mogelijk de kustlijn, passeerde
Munksnäs en nam de weg over Ekudden, fietste vervolgens
langs Edesviken, Gräsviken en Sandviken; hij klemde zijn
kaken op elkaar in de harde oostelijke tegenwind en stak
ondertussen zijn middelvinger op tegen een automobilist en
mompelde: wat een klotezomer, wat een godvergeten klotezomer. Op Villagatan ketende hij zijn fiets vast aan de regen-
pijp, trad het bedompte en stoffige kantoor binnen en zette zijn
pc aan. Maar de endorfineroes die gewoonlijk op de fietstochten volgde, bleef uit. Lang zat somber naar zijn monitor
te staren en merkte niet eens dat de screensaver het beeld
overnam, hij hoorde alleen Sarita's stem die vragen stelde
als *vrienden, heb je die dan?* en *ik heb vele leeftijden, welke
wil je hebben?* Daarentegen, gaf hij later toe, had hij inmiddels
verdrongen dat ze had gezegd dat hij een estheet was die haar
bekeek als een beeldhouwwerk, en terwijl hij niets ziend naar
zijn monitor staarde, waar verschillende geometrische vormen
ronddraaiden in een zwarte en verre ruimte, zag hij haar ruggenwervels zich aftekenen in het ochtendlicht, hij zag de kleu-
rige armbanden om haar rustende pols, zwaar en slap van de
slaap, en hij zag haar diepe navel omhoogkomen en terug-
zakken in het ritme van haar ademhaling.

In de weken daarna maakte Lang dagelijks lange fietstochten.
In de tussentijd zat hij te dromen voor de geometrische figuren
en zwarte ruimtes op zijn beeldscherm. Zijn zoon bracht de
zomer in Londen door, zijn kersverse ex-vrouw nummer twee
en zijn minnares de studioregisseuse hadden het contact met

hem verbroken, en zijn bijna vijfenzeventigjarige moeder was met Hagalunds seniorenvereniging afgereisd naar Lago di Garda. Lang had geen verplichtingen en geen sociale contacten. Het was nog steeds stil in de stad, die sluimerde in afwachting van de terugkeer van de winterbewoners, en die Lang vreemd en tijdloos voorkwam. Op een ongewoon mooie en warme donderdag fietste Lang naar Ingå en terug – hij legde die dag honderdtwintig kilometer af en keerde pas na middernacht terug in Helsinki. Toen hij over de Drumsöbrug fietste was het nachtelijk donker zacht als fluweel, maar dwars door de warme lucht, die naar zeewier en rozenbottels en benzine rook, bespeurde hij een vleugje van koelte en troosteloosheid, van naderende herfst. Na de lange fietstocht had Lang last van spierontsteking in beide kuiten. Hij kocht twee enorme tubes Mobilat, smeerde zijn kuiten 's ochtends en 's avonds in en ontdekte dat het gebruik van de scherpruikende zalf zijn gevoel van mannelijkheid verhoogde: hij voelde zich een krijger of een geradbraakte topsporter terwijl hij in zijn donkere keuken stond en volhardend zijn pijnlijke benen insmeerde.

's Avonds probeerde Lang Sarita te vinden. Hij had alle modefotografen gebeld die hij kende, en toen niemand ene Sarita bleek te kennen, begon hij te zoeken in de buurten waar hij haar ontmoet had. Een avond zwierf hij heen en weer tussen de cafés op Nylandsgatan, dronk overal een glas ananassap en ging pas over op kleine glaasjes amandellikeur toen zijn blaas begon te protesteren. De volgende avond was Bulevarden aan de beurt; zes uur lang bewoog Lang zich tussen Tony's Deli in het noorden en Bulevardia in het zuiden, ondertussen maakte hij uitstapjes naar Annegatan en Fredriksgatan en zelfs helemaal naar Eriksgatan. De avond daarop was het Stora Robertsgatan met zijn eettentjes, de volgende avond bestreek hij Skillnaden en de Esplanades, de daaropvolgende avond – en nu was het vrijdag en druk, hij moest bij diverse gelegenheden in de rij staan – was het de beurt aan Alexandersgatan, de Citypassage en Glaspalatset. En zo ging het door, dag na dag, week na week, en Lang werd zowel het ananassap als de amandellikeur zat. Half augustus had hij de wijken Främre Tölö en Kronohagen afgewerkt, en hij was ook nog de Långabrug overgestoken om naar Sarita te zoeken in de biercafés in Berghäll. Lang keerde nu terug naar het centrum. Hij herinnerde zich vooral Sarita's trotse houding – hij vermoedde dat ze ondanks haar onregelmatige trekken een verleden als fotomodel had – en hij wist dat modellen in de regel de voorkeur gaven aan trendy gelegenheden in het centrum van de stad, met grote ramen aan de straatzijde zodat iedere gast goed zichtbaar was. Hij begon aan vrienden en kennissen in de kroeg te vragen of ze iemand hadden gezien die op Sarita leek. Op een avond glipte hij bij House of Bourbon op de hoek van Nylandsgatan en Albertsgatan naar binnen, hij was daar stamgast en had een paar keer meegespeeld in een liefdadigheidsvoetbalwedstrijd, samen met de barkeeper en voormalig schlagerzanger Vekku. Terwijl Vekku glazen stond af te drogen, leunde Lang tegen de donkere lambrisering van de bar en probeerde Sarita's gezicht te beschrijven; de kleine vorm en de merkwaardige verhoudingen tussen haar ogen, neus en mond. Het was een rustige dinsdagavond rond zonsondergang, de bar was bijna leeg en Vekku zei: 'Je wilt haar echt vinden, hè, dat meisje?' Lang, die net verder wilde gaan met zijn beschrijving, stokte en antwoordde verbaasd: 'Ja, natuurlijk wil ik dat.' 'Wat maakt haar zo bijzonder?' vroeg Vekku. 'Ik weet het niet,' antwoordde Lang, 'ik heb haar maar één keer ontmoet. Ze zegt niet wat je verwacht dat ze gaat zeggen.' Vekku droogde omstandig een glas af, zette het neer, pakte een nieuw, begon het op te wrijven, schudde zijn geschoren hoofd en zei: 'Ik zal mijn ogen en oren openhouden, Lang, meer kan ik niet beloven.'

Al tijdens deze weken, bekende Lang later tegenover mij,

begon hij te vermoeden dat zijn interesse bezig was te veranderen in verlangen en obsessie. Hij had zich jaren niet 's avonds in Helsinki vertoond; nadat zijn boeken en vooral zijn eigen tv-show hem bekendheid hadden gebracht, was hij verlegen geworden, hij schrok altijd als mensen 'Hallo Lang!' naar hem riepen en hij was bang voor alle wildvreemde mensen die de uitzending van die week met hem wilden bespreken. Lang had ook meegemaakt dat jonge mannen 'Vuile jood!' naar hem riepen – ze hielden hem voor Ruben Stiller van het programma *Stiller* – en één keer had een dronken ijshockeyspeler hem een bloedneus geslagen en geschreeuwd dat hij een verdomde communist en dienstweigeraar was. Achteraf was gebleken dat de ijshockeyster hem verwisseld had met Timo Harakka van het programma *De zwarte doos* – Harakka had een links en revolutionair verleden – maar dat was een schrale troost voor Lang geweest.

Nu overwon Lang zijn verlegenheid; een innerlijke drang dreef hem avond na avond de stad in. Week in week uit liet hij zich de dreunen op zijn schouder en schimpscheuten van de uitgaande Helsinki's gelijkmoedig welgevallen, hij glimlachte slechts afwezig en knikte, en baande zich vervolgens een weg naar de bar waar hij Sarita begon te beschrijven voor de barman en de serveersters. En iedere keer keek Lang vol verwachting op naar de ondervraagden, terwijl ze met nadenkende gezichten hun geheugen pijnigden, en hij voelde hoe hoop en begeerte kleine bewegingen in zijn borst en maagstreek bewerkstelligden; het was alsof hij ontwaakte uit een toestand van verdoving, het deed zelfs een beetje pijn, zoals wanneer je op je arm in slaap bent gevallen en deze verdoofd is en het bloed pulserend opnieuw begint te circuleren.

Maar zijn navragingen eindigden altijd hetzelfde: met meewarig maar resoluut hoofdschudden. Daarom had Lang het al min of meer opgegeven toen hij op een dag een tekstbericht in de bleekgroene display van zijn mobiele telefoon aantrof. *'Has this been our summer of discontent?'* stond er. Lang besteedde geen aandacht aan deze eerste mededeling, beweerde hij later. Zijn telefoonnummers waren geheim, zijn producent en de zender waarvoor hij werkte en de uitgevers die zijn boeken publiceerden, fungeerden als buffer. Maar het systeem was lek en Lang had zowel uitnodigingen als openlijke bedreigingen via zijn mobiele telefoon ontvangen, en was zodoende gelouterd. Toen hij de volgende ochtend een nieuw bericht aantrof – 'Wat deed Rafaël nadat hij *La Fornarina* had geschilderd?' – raakte hij echter geïnteresseerd, zijn fantasie begon te werken, een vermoeden beving hem en na enige aarzeling belde hij op. Een goed gemoduleerde, anonieme mannenstem zei: 'Degene die u zoekt, is op dit moment niet aanwezig. Spreek uw boodschap in na de piep.' Het signaal dat volgde hield een tijd aan, en toen het eindelijk ophield, zei Lang: 'Ik weet niet eens of je bent wie ik denk dat je bent. Maar ik neem aan dat hij met haar naar bed ging.' Toen zweeg hij een paar seconden, en voegde eraan toe: 'Ik heb naar je gezocht.'

4

Een paar dagen later stond Lang te rillen voor een gebouw van zeshoog in Helsingegatan. Sarita had geweigerd hem de deurcode te geven en hij moest behoorlijk lang wachten. Hij stond te stampvoeten in de heldere en koude avondlucht, terwijl de mensen in een dunne stroom voorbijliepen. Een jongeman met kortgeknipt haar en scherpe blik hield in toen hij Lang naderde, slenterde vervolgens voorbij en keek hem onderzoekend aan, alsof hij zich afvroeg of Lang soms een potentiële koper was van de kleine partij drugs die hij waarschijnlijk bij zich had. Lang keek demonstratief weg en zette tegelijkertijd de kraag van zijn leren jack op.

Toen Sarita kwam opendoen, was ze gekleed in een dikke witwollen trui en een halflange wikkelrok. De stof van de rok was crêpeachtig, hij ritselde terwijl ze in de lift stapte. 'Waar heb je naar me gezocht?' vroeg ze. Lang deed verslag. 'Ik ga nooit naar die cafés,' zei Sarita, 'ik was toevallig in die pizzeria omdat ik de hele dag in de bibliotheek in Richardsgatan had gezeten.' 'Wat deed je daar?' vroeg Lang. 'Lezen', antwoordde Sarita. 'Wat las je?' drong Lang aan. 'Dat weet ik niet meer', zei Sarita en Lang kreeg de indruk dat ze loog. 'Misschien een boek van Celati, of Tsjechov,' vervolgde ze, 'of misschien las ik wel helemaal niet, misschien zat ik vooral na te denken, dat doe ik soms, in kerken of bibliotheken zitten en nadenken; het zijn zulke goede plekken voor gedachten, vind je ook niet?' Lang antwoordde niet, hij probeerde zich te herinneren wanneer hij voor het laatst een bibliotheek of kerk had bezocht, maar kwam niet verder dan dat het lang geleden moest zijn. De lift kraakte onheilspellend en toen ze voorbij de vierde etage kwamen, hoorden ze geruzie vanuit een van de appartementen. 'Rot op! Rot toch op naar die hoer van je!' schreeuwde een vrouwenstem, en een mannenstem beet terug: 'Moet je weer hysterisch worden? Kunnen we geen ruziemaken zonder dat je gaat janken?' Lang en Sarita keken elkaar gegeneerd aan en Sarita zei: 'Ze is in verwachting en haar man heeft een ander. Ze ruziën constant. Maar bij mij boven hoor je ze niet.'

Sarita woonde in een ruim tweekamerappartement met alle ramen uitkijkend op de binnenplaats. Een vestibule of halletje was er niet; je stapte meteen het appartement zelf binnen. De muur tussen de keuken en de grote kamer was verwijderd, zodat de keuken en woonkamer één grote ruimte vormden. In een alkoof in de dichtstbijzijnde hoek stond een kinderbedje, aan het voeteneind stond een ladekastje, op de grond lagen een paar plastic dinosaurussen en een radiobestuurde Nikko-raceauto. Meer naar de keuken toe, voor een groot raam, stond een bankje, tegen de wand ertegenover stond op de grond een tv van het nieuwste model, met ernaast een splinternieuwe videorecorder, nog in de doos. De tv was zo gedraaid dat je het beeldscherm vanaf de bank en vanuit het kinderbed kon zien. In de keuken stond een kleine eettafel met drie Weense stoelen eromheen die er wankel uitzagen. De wanden waren wit en kaal, op een ingelijst Magritte-affiche achter glas en een klassieke foto van Cartiér-Bresson – een Parijse boulevard in de regen – in enorme vergroting na. 'Parijs is een geweldige stad', probeerde Lang. 'Ik ben er nog nooit geweest', zei Sarita. 'Is je zoontje nog steeds op het platteland?' vroeg Lang. 'Miro komt overmorgen thuis', antwoordde Sarita. Ze duwde de halfopen deur naar de slaapkamer achter de keuken verder open en twee katten glipten naar buiten, de ene grijs met een ruige vacht, de ander pikzwart en gladharig met volkomen gele ogen. 'Ik ben een hondenmens,' zei Lang, 'ik ben bang voor katten.' 'Dan passen jullie goed bij elkaar,' zei Sarita, 'Noa en Dimitri zijn allebei bang voor mannen.' 'Hoe gaat dat dan met je zoo… met Miro?' corrigeerde Lang zichzelf. 'Ze zijn niet van mij,' zei Sarita, 'ik verzorg ze voor een vriendin. Ze is de hele zomer in Madrid. Ze helpt me altijd met Miro in de winter, daarom heb ik beloofd voor haar katten te zorgen.' Ze opende een keukenkastje en haalde borden en glazen tevoorschijn. 'Welke is Dimitri en welke Noa?' vroeg Lang. 'Dimitri is de zwarte', zei Sarita. 'Ze zijn allebei gecastreerd.' Terwijl ze het eten klaarmaakte, liep Lang naar haar slaapkamer. De kamer was klein en werd gedomineerd door een breed bed. Naast het bed stond een toilettafel met een heleboel flesjes en potjes. Op de grond tussen het bed en het raam stond een draagbare cd-speler, ernaast lag een aantal slordig neergegooide cd-hoesjes. De muren waren kaal, en de kamer voelde even kil en half bewoond als de rest van de woning. 'Hoe lang woon je hier al?' riep Lang, want Sarita had de waterkraan aan de andere kant van de muur opengedraaid. 'Sinds begin juni', riep ze terug. 'We woonden eerst in Kårböle, Miro en ik. Marko heeft dit voor ons gevonden, het is van een van zijn vrienden.' 'Wie is Marko?' riep Lang op zijn beurt. 'Miro's vader', klonk het vanuit de keuken. Lang bukte om de cd's op te rapen. De artiestennamen zeiden hem niets, en hij legde de cd's op de toilettafel. Zijn oog viel op een foto die tussen de spiegel en de lijst was gestoken en hij boog zich naar voren om te kijken. Op de foto stond een heel jonge Sarita, ze glimlachte breed en haar haar had een andere tint, meer roodachtig. Ze had een blond jongetje op de arm, het jongetje was één, anderhalf misschien, en zijn gelaatsuitdrukking was nors. Rechts van Sarita stond een jongeman. Hij had zijn arm om haar heen geslagen maar zijn gezicht was gesloten en ernstig, hij droeg zijn haar in een paardenstaart en zijn blik was hard – Lang moest toegeven dat hij knap was, beduidend knapper dan Lang zelf. Marko, dacht hij en hij vond meteen dat de man op de foto er vaag bekend uitzag, als iemand die Lang tegen het lijf gelopen kon hebben in de weken dat hij in de cafés, bars en nachtclubs van de stad op zoek was geweest naar Sarita.

Sarita had een hartige taart met schaaldieren gemaakt en een salade met rosbief en zongedroogde tomaten, en de rode wijn die Lang had meegebracht was zwaar en kruidig met een aroma van vanille en drop. Lang merkte hoe het inwendige rillen langzaam ophield. Hij ontwaakte, verklaarde hij me, eindelijk uit de langdurige eenzaamheid van die kille zomer, hij voelde zich zacht en warm in zijn hele lichaam en begreep plotseling dat hij met iemand sámen was, en niet met zomaar iemand, maar met Sarita, naar wie hij een hele maand had gezocht. Al tijdens het begin van de maaltijd raakten ze, vertelde Lang, lichtjes elkaars handen aan, en toen de eerste fles wijn leeg was, stond Sarita niet op om een nieuwe te halen maar pakte voorzichtig en zonder omhaal Langs hand in de hare en vlocht haar vingers door de zijne. Ze liepen naar haar slaapkamer, en Lang duwde de deur pal voor de neus van kat Dimitri in het slot. Toen stonden ze midden in de kamer en omhelsden elkaar in het donker. Na een tijdje maakte Sarita zich los, zakte door haar knieën en zocht naar de cd's die op de grond hadden gelegen. 'Ik heb ze op de toilettafel gelegd', zei Lang en hij hield tegelijk zijn adem in, zodat ze niet zou merken hoe zwaar en stotend hij ademde. Sarita kwam overeind en liep op een paar centimeter afstand langs hem. Haar ademhaling kwam Lang heel gelijkmatig en ontspannen voor. Ze raakte licht zijn dij aan, vervolgens griste ze de cd's naar zich toe, ging op haar knieën voor de cd-speler zitten en leek te aarzelen. Lang gebruikte de pauze om zich uit te kleden en onder het dekbed te kruipen. Hij was sinds begin juni niet meer met iemand naar bed geweest en wilde alle omhaal vermijden: een vijftienjarige die met haakjes en knoopjes stuntelde was misschien ontroerend, zei hij tegen mij, maar een veertigjarige tv-presentator die zo deed, zou nauwelijks sympathie wekken.

De muziek die Sarita opzette, was plechtig en mooi. Een vrouw zong, haar stem was etherisch maar tegelijk schor en rauw en het stuk had een desolate en galmende kwaliteit waar Lang voor viel. Sarita kleedde zich uit. Ze keerde Lang niet de rug toe maar stond naar hem toegekeerd, vervolgens stapte ze in bed en schopte rustig het dekbed weg. Ze ging dicht tegen Lang aan liggen en legde meteen haar hand op zijn buik, liet de lange nagels over zijn huid glijden. Maar Lang voelde dat niet alles was zoals het moest zijn. Zijn schouders waren gespannen en het bonsde in hem, niet alleen van begeerte maar van angst gemengd met begeerte. Hij stelde zich voor hoe een sleutel in het slot werd gestoken en een goedgetrainde jongeman met paardenstaart en harde blik even later naast Sarita's bed zou staan, klaar om Lang tot moes te slaan. 'Wat ben je gespannen,' zei Sarita, 'wat is er?' Lang antwoordde niet, maar merkte te laat dat Sarita hem opnam in het zwakke licht dat door het raam naar binnen viel en dat hij instinctief zijn blik had laten glijden naar de foto die achter de spiegellijst gestoken was. 'Ben je bang voor Marko?' vroeg ze. Lang zweeg. 'Maak je geen zorgen,' zei Sarita, 'hij heeft geen sleutel, we zijn al lang geleden gescheiden.' Toen haalde ze zacht haar hand over Langs ogen. Hij sloot ze gehoorzaam en voelde hoe ze haar hoofd op zijn schouder legde en hoe hij langzaamaan ontspande.

Lang had zich, zei hij tegen mij, al jarenlang verwonderd over hoe de meest uiteenlopende gedachten en frases konden liggen wachten onder de oppervlakte van onze hersenen, om vervolgens op de merkwaardigste momenten naar boven te komen. Dit keer was het een frase die hij toeschreef aan Jean-Paul Sartre, zonder het overigens zeker te weten. Tijdens zijn studie had Lang de frase in het Engels geleerd, en nu verscheen hij als een tekstkaart in een stomme film: hij verscheen voor zijn geestesoog in het stadium dat Sarita onder hem lag en ze allebei al kreunden en zwaar ademden en zij haar nagels in zijn onderrug en billen boorde als om hem vaart te geven. In Langs bewustzijn vermengde de oude frase zich met de muziek en de woorden van de cd die inmiddels voor de tweede keer afgespeeld werd. *By becoming a part of the uniqueness of our time, we finally merge with the eternal,* beweerde de Sartrekaart stellig, maar in de slaapkamer galmde de muziek en de vrouw met de rauwe maar etherische stem zong de woorden *don't waste your breath don't waste your heart,* en de maneschijn die door het raam binnendrong, was spookachtig en vaalbleek, en op het moment dat Lang klaarkwam, baarden zijn versufte geest en zijn zojuist gewekte zintuigen samen een zin die als volgt luidde:

By becoming a part of the uniqueness of our time
We waste our breath and waste our heart.

Op hetzelfde moment opende Lang zijn ogen en ontmoette Sarita's blik, die vastgezogen zat aan zijn gezicht. Haar ogen waren opengesperd en daarin, aldus Lang, zag hij gedachten en gevoelens zich bewegen als golven in een zee: hij zag genot maar ook onuitgesproken vragen tijdens het genot, hij zag angst en kracht en wantrouwen, en hij zag verlangen en hoon en medelijden en nog veel meer.

5

Er brak iets in Lang, die eerste nacht bij Sarita, bekende hij tegenover mij, iets waardoor hij moest toegeven aan een gevoel dat hij al lang had gehad, maar waar hij zich tot dan toe heftig tegen had verzet.

Lang had altijd een zesde zintuig gehad voor de tijdgeest, en hij gaf altijd bereidwillig toe dat dat zijn belangrijkste wapen was in de strijd om een goed bestaan. Hij had tijdens de eerste presidentstermijn van Ronald Reagan al de noodzakelijke ommezwaai gemaakt van een vage en achterhaalde linksigheid naar een marktbevestigende mondaniteit; in die tijd vermaakten de meesten van zijn vrienden, onder wie ikzelf, zich met het bedenken van vergezochte grappen over Reagan en Margaret Thatcher en de naderende ondergang van het kapitalisme. Langs romans waren vanaf het begin labyrintisch en vrij van de traditionele chronologie, en algauw was hij de toonaangevende lieveling van de intellectuelen: hij werd beschouwd als een snelle en ontembare postmoderne edele vissoort in de met realisme overvoerde Oostzee waarin ik zelf deel uitmaakte van het stikstofoverschot. Ook zijn overgang naar het medium tv viel later bij zijn tijdgenoten in de smaak. Wij die Lang privé kenden, wisten dat hij een verscheurde en tegenstrijdige figuur was, maar de camera's en schijnwerpers leken een verzoening in hem te bewerkstelligen, een samensmelting van yin en yang: ineens, op het beeldscherm, ontstond de koele en ironische Lang als een perfecte legering van warmte, charme en intellectuele scherpte. Lang verenigde het spottende zelfbewustzijn van mannelijke presentatoren als Sarasvuo, Stiller en Harakka met de empathie en meegaandheid van vrouwelijke collega's als Tastula en Pyykkö, en het resultaat was *Sininen Hetki, Het Blauwe Uur*, een programma dat hypnotiseerde en uitdaagde, en dat qua populariteit algauw de andere praatprogramma's inhaalde, om zich vervolgens als nummer één op de kijkcijferlijst te plaatsen en daar vele seizoenen te blijven staan.

Maar de zomer dat hij Sarita ontmoette, ja eigenlijk het hele jaar daarvoor al, had Lang zich steeds vaker mat en als het ware uitgehold gevoeld. Het was, zei hij tegen mij, steeds moeilijker geworden mensen te ontmoeten. Of niet moeilijker, verbeterde hij zichzelf, maar steeds leger, alsof hij diep vanbinnen had ingezien – of hij nu zijn bejaarde moeder bezocht of zijn tienerzoon te eten had, lunchte met een van zijn ex-vrouwen of naar bed ging met een jonge vrouw die hij in een bar had opgepikt – dat het geen echte ontmoetingen meer waren tussen mensen: alles was toneel, geschreven door een middelmatige soapschrijver, een voorspelbare mengelmoes van versteende personages en vermoeide, vastgeroeste replieken. Steeds vaker had Lang een groot verdriet voelen opwellen, hij had, beschreef hij, een brok in zijn keel gekregen en een loodzware druk op zijn maag, zonder dat er een aanwijsbare oorzaak was. Toen het voorjaar werd, had hij zoals altijd de nog ongeklede schoonheid van de slaapdronken stad waargenomen, en hij had zoals altijd haar zeldzaam witte avondlicht bewonderd dat de Jugendstilhuizen van Ulrikasborg en Eira deed stralen als sprookjespaleizen. Maar dit voorjaar was Langs ziel ondanks alle pracht leeg en dood gebleven, en voor het eerst in zijn leven had hij Helsinki's schoonheid streng en afwijzend gevonden: alsof er iets ijzigs en ontkennends rustte in de wirwar van tinnen en torentjes en zwarte en groene daken van plaatijzer, alsof de stad als een mossel om zijn eigen verdrongen geschiedenis gesloten lag. Lang had een onverklaarbare zin gehad om te huilen, zei hij, het was alsof de Noordse lente en al het ontwakende leven streden tegen zijn eigen wankelende levensgevoel, alsof het licht zich op sluimerende gevoelens in zijn binnenste richtte en hem tegelijk hekelde om zijn zwakheid en gebrek aan moed. Maar moed voor wat? had Lang zich afgevraagd en hij had alles gedaan om zijn al brozere kern voor de buitenwereld te verbergen. Hij had vergaderingen belegd met zijn producent en uitgevers, hij had de nachten te hulp geroepen om op gang te komen met een nieuw boek en hij had de laatste shows van het seizoen met de gebruikelijke intensiteit gepresenteerd, zonder dat er enige zwakheid of onzekerheid uit zijn optreden viel af te lezen. Bovendien had hij interviews gegeven aan de weekbladen en zelfs meegewerkt als assistent van de dichter Tabermann in het programma *Praten over het nieuws.* En tot het allerlaatst, zei Lang, had hij het ironische en beheerste vriendelijke masker dat de mensen van hem gewend waren en dat hem zo goed stond, weten te handhaven. Maar toen de zomer aanbrak met een lege agenda en zonder verplichtingen werden de tekenen van *fatigue* zo duidelijk dat Lang ze niet langer kon negeren. Hij sliep negen uur per nacht maar had geen zin om op te staan als hij wakker werd. Hij nam de telefoon niet op, zette zijn mobiel uit en liet de boodschappen zich ophopen op het antwoordapparaat. Tegen juli bespeurde hij een duidelijke onwil de brieven te openen die op de deurmat vielen – hij was bang voor wat hij erin zou aantreffen en het frappante was, voegde hij eraan toe, dat lof tegenwoordig evenveel pijn deed als kritiek – en in zijn mailbox had hij al bijna een maand niet gekeken. En later, tijdens de lange en eenzame weken toen hij achter zijn computer zat en fietstochten maakte en naar Sarita zocht, begonnen Langs zintuigen hem in de maling te nemen. Hij vertoonde symptomen van achtervolgingswaanzin; toen hij de kroegen van de stad afliep op jacht naar Sarita, verbeeldde hij zich dat er over hem gefluisterd werd als hij naar de deur liep. 'Dat is die Lang, maar wat ziet hij er mager en afgepeigerd uit!' hoorde hij iemand fluisteren, en onmiddellijk becommentarieerde een andere stem: 'Lang kan het niet meer bijbenen, hij is zijn grip kwijt', waarop een derde aanvulde: 'Zijn z'n kijkcijfers afgelopen winter niet drastisch gedaald?' Lang begon die stemmen te ontwijken. Hij vluchtte in de oude beeldfragmenten en muziekflarden die die lente en zomer voor zijn ogen waren gaan flikkeren en echoden in zijn hoofd; het waren héél oude beelden en flarden, uit zijn kindertijd en vroege jeugd, en daar waren zijn vader en moeder en grote zus en alle vrienden van toen en alle meisjes op wie hij verliefd was geweest, maar soms gedroegen de mensen zich zo vreemd en waren de scènes en de muziek zo onbekend dat Lang niet met zekerheid kon zeggen of het om zijn eigen herinneringen ging of om een film die hij langgeleden gezien had.

Die eerste nacht bij Sarita vond Lang zichzelf, na vele maanden te hebben gezwegen, in de rol van welbespraakt nostalgicus. Om twee uur 's ochtends kwamen ze uit bed, wikkelden zich in dekens en gingen weer aan de eettafel zitten. Terwijl ze calvados dronken en aten van de kwarkpudding die Sarita in een supermarkt had gekocht, vertelde Lang haar over langgeleden, toen je nog geen geld uit een gleuf in de muur kon trekken maar moest zorgen dat je voor vier uur 's middags bij de bank was, anders zat je zonder betaalmiddelen, want creditcards en chequeboekjes waren voorbehouden aan de weinige echt rijken. En hij vertelde hoe het was om contact op te nemen met mensen vóór de tijd van de antwoordapparaten en mobiele telefoons en e-mail, hij vertelde dat mensen gewoon niet opnamen, niet te pakken te krijgen waren, en dan moest je dagen, ja soms wel weken of maanden wachten, net zolang tot ze terugkwamen van hun verre reizen. 'We zijn zo verwend en meedogenloos geworden,' preekte Lang tegen Sarita, 'alles moet meteen gebeuren, we wachten op niets of niemand, we respecteren niets en niemand, andere mensen zijn slechts een instrument waar je nut van hebt of niet', stroomde het uit hem. 'Ja,' repliceerde Sarita droog, 'ze doen het goed als gasten op de bank in een talkshow bijvoorbeeld.'

Later, toen ze zich weer hadden teruggetrokken in de slaapkamer, waar een monotone regen tegen het raam tikte, vertelde Lang haar over een zomer langgeleden, toen hij samen met een vriend vakantiewerk deed als pianosjouwer en 's avonds een veel te strak lichtgeel Lacoste-shirt aantrok en naar de discotheek in de Finse Handelshogeschool ging, op jacht naar bruinverbrande meisjes met ingevette roze lippen. Hij vertelde over de dikke bruine enveloppen die hij en zijn vriend – dat was ik – aan het eind van iedere maand kregen en over het grote geluk dat hij had gevoeld toen hij het huis uit ging – we huurden samen een tweekamerflat die zomer, Lang en ik, het was de zomer na ons eindexamen – en zijn eigen baas werd en eigen *liksa* kreeg. '*Liksa?*' zei Sarita, proevend aan het woord, 'wat zat er echt in die enveloppen?' 'Bankbiljetten,' zei Lang en hij glimlachte gelukzalig bij de herinnering, 'ritselende, knisperende bankbiljetten, een dik pak.' 'O ja, bankbiljetten,' zei Sarita, 'wat stom van me.' 'Je bent helemaal niet stom', zei Lang teder. Ze hadden nog een keer gevrijd en hij voelde zich warm en loom, als een katachtige bijna. 'Ik denk dat je eigenlijk veel slimmer bent dan ik', voegde hij eraan toe. 'O nee,' zei Sarita, 'jij bent slim Lang, jij bent verdomd slim, probeer maar niet me iets anders wijs te maken.' 'Ik ben helemaal niet slim,' antwoordde Lang, 'ik ben alleen maar moe, verschrikkelijk moe.' 'Ik weet dat je moe bent,' zei Sarita, 'ik hoor het aan je stem. Die klinkt als een vuur dat bezig is te doven.' Ze ontmoette zijn verbaasde blik en voegde eraan toe: 'Je voelt je uit de pas met de tijd. En dat maakt je verdrietig en bang, want het is juist je vermogen om één te zijn met de tijd dat maakte dat je je kon inbeelden dat je eeuwig jong en eeuwig veranderbaar bent.' Lang keek naar Sarita met iets dat leek op ontzetting. Sartre! dacht hij, ze leest mijn gedachten, ze heeft ook die tekstkaart voor zich gezien, ze heeft iets angstaanjagends. Maar hij zei niets. In plaats daarvan praatte Sarita verder, ze lag naast hem, ze leunde op een elleboog, woelde met haar vingers door de haren op zijn borst en zei: 'Je bent bang voor de dood, Lang. En daar is niets mis mee. Als je zo ver bent, ben je een heleboel illusies kwijt, en als je dan voor niets meer bang bent behalve de dood, kun je gaan werken aan het belangrijkste van alles.' 'En wat is dat?' vroeg Lang, en zijn hart ging enorm tekeer. 'Leren om niet bang te zijn voor de dood,' antwoordde Sarita, 'want dat is hetzelfde als leren doodgaan, en leren doodgaan is hetzelfde als leren leven.' 'Zulke dingen moet je niet zeggen!' zei Lang heftig. 'Waarom niet?' vroeg Sarita en ze beantwoordde rustig zijn gejaagde blik. 'Omdat ik niet aan zulke dingen wil denken!' zei Lang. 'Nee,' zei Sarita en ze lachte plagerig, 'jij wilt alleen maar denken aan mijn jonge stevige vlees.' 'Ja, en wat dan nog,' zei Lang, 'ik ben goddomme een normaal mens, ik wil niets weten van die vervloekte waarheden!' Hij zweeg een paar seconden en voegde er vervolgens aan toe: 'We zijn allemaal bang voor de waarheid.' En toen zei Sarita de woorden die bijna als een wiegelied in zijn oren klonken. 'Maak je geen zorgen', zei ze. 'Maak je geen zorgen, mijn vermoeide Lang, gun jezelf liever een beetje rust, kom liggen, dan rusten we uit.'

Die woorden, vertelde Lang aan mij, braken zijn laatste restje weerstand. Hij voelde hoe het onverklaarbare verdriet nogmaals in hem opwelde en dit keer hield hij het niet tegen. Hij verborg zijn gezicht in Sarita's hals en toen huilde hij, niet erg, alleen stilletjes, maar toch. En het merkwaardige was, zei Lang, dat wanneer hij zichzelf eenmaal toestond te huilen, al was het maar een beetje, het welbekende verdriet dan opeens als iets anders voelde dan verdriet: het voelde bijna als een zegen, als blijdschap en leven.

Terwijl het duister om hen heen langzaam uiteendreef en vervangen werd door een grijs daglicht dat nevelig was door de regen, lagen Lang en Sarita van aangezicht tot aangezicht, met hun armen om elkaar heen en hun benen in elkaar gevlochten, wakker maar stil. Wanneer Lang zijn ogen sloot, zag hij enkele van de beeldfragmenten die hem achtervolgden, maar hij wilde mij niet vertellen welke dat waren, want het was niet belangrijk; daar ging het niet om, zei hij, het ging erom dat wanneer hij daar met zijn armen om Sarita heen lag en de warmte van haar lichaam voelde, dat die beelden dan geen pijn meer deden; ze wáren er gewoon, daar in zijn hoofd en meer was het niet. En daarna voelde Lang hoe zijn begeerte weer langzaam tot leven kwam, een spierzwakke en murwe en geradbraakte begeerte, maar toch. Sarita reageerde op zijn voorzichtige bewegingen en ze vrijden nogmaals met elkaar, maar nu zonder haast, met een honger die verstild en bijna innig was. En het was nu dat ze voor de eerste keer zijn naam zei op die manier waarnaar hij zou gaan snakken. Eigenlijk was er een nogal banale verklaring voor; ze fluisterde zijn voornaam, maar haar tong slaagde er niet in de harde t-klank tussen de s en de i te vormen, en het werd niet Christian maar in plaats daarvan fluisterde ze keer op keer: Chrisschjan, mijn Chrisschjan, maak je maar geen zorgen, Chrisschjan. En pas toen, zei Lang tegen mij, pas toen wist hij dat hij verliefd was, en ook dat hij waarschijnlijk op een dag aan Sarita zou vertellen over de beelden die hem plaagden, over het beeld van zijn zuster Estelle, die winter dat ze voor het eerst ziek werd, en het beeld van zijn vader, zwijgend en afwijzend aan het bureau in de woonkamer in Petersgatan, en over de andere beelden waarover hij nooit met iemand had gesproken en die hij nooit had kunnen opschrijven en gebruiken en op die manier onschadelijk maken.

6

Lang bleef drie etmalen in het appartement op Helsingegatan. 's Ochtends, wanneer Sarita tram 8 nam om naar de studio van de modefotograaf te gaan, die in een oud fabriekspand aan Repslageregatan zat, bracht Lang haar helemaal weg en ging vervolgens plichtsgetrouw naar zijn kantoor aan Villagatan. Vervolgens zat hij daar en deed alsof hij werkte, terwijl hij verlangde naar Sarita. De ochtend van de derde dag liep hij de paar blokken naar zijn eigen appartement om schone kleren aan te trekken. Op het antwoordapparaat stonden elf berichten. Hij luisterde ze af en pleegde een paar telefoontjes. Een ervan was met zijn producent, een dynamische man die V-P Minkkinen heette en die een eigen productiemaatschappij, een kaalgeschoren kop en een voorliefde voor anorectische, brood-magere vrouwen had. 'We hebben een probleem, Lang', zei Minkkinen. 'De omroepbazen beginnen ons te duur te vinden, we moeten overleggen, jij en ik.' 'Dat moet wachten tot de tweede week van september', antwoordde Lang. 'Ik hou va-kantie tot de tweede week van september, of eigenlijk', loog hij, 'werk ik aan iets anders tot die tijd.' 'Ik weet niet of onze opdrachtgevers wel tot september willen wachten, Lang', zei Minkkinen met bedrieglijk milde stem. 'Dat zullen ze wel moeten, VeePee', zei Lang resoluut en hij hing op. Vervolgens wikkelde hij zijn elektrische tandenborstel en een doosje maag-zweertabletten in een stuk keukenpapier, stopte het proviso-rische pakketje in de binnenzak van zijn linnen colbert, ging naar de Sesto om diepvrieskreeften te kopen, reed naar Hel-singegatan, opende de deur met de sleutel die Sarita hem had gegeven en stapte naar binnen. Hij liet lauw water in de wasbak lopen en zette het plastic emmertje met kreeften in het water. Hij kreeg het gevoel dat Sarita overdag thuis was geweest: op de aanrecht stonden een kopje en een schoteltje die hij zich niet van die ochtend kon herinneren, en boven de eettafel brandde een lamp waarvan hij bijna zeker wist dat hij hem had uitgedaan, vlak voordat ze de deur uit gingen. Misschien, dacht Lang toen hij de slaapkamer in liep en op Sarita's bed ging liggen, was ze vlug thuis gaan lunchen voordat ze haar zoon ging ophalen van het station: hij zou met de trein van drie uur uit Tammerfors komen, zonder begeleider, moederziel alleen, wat Lang vreemd had gevonden, omdat de jongen nog maar net zes was.

Lang was in het appartement toen Sarita thuiskwam met Miro. Het was, zei Lang laconiek tegen mij, geen geslaagde ontmoeting. Hij werd voorgesteld als *Chrisschjan-setä*, maar dit keer had Sarita's zachte uitspraak weinig nut. Miro keek hem vanonder zijn pony aan, toen sloeg zijn onderlip aan het trillen en de jongen begon net zo stilletjes te huilen als Lang tweeënhalve dag geleden in Sarita's bed had gedaan. Vervolgens liep Miro naar zijn bedhoek, pakte de Nikko-raceauto en omarmde hem alsof het een talisman was die de boze tovenaar Lang kon wegjagen. 'Waar is Marko-papa?' vroeg hij toen. Sarita wierp Lang een haastige blik toe en antwoordde: 'Ik weet het niet Miro, ik weet het gewoon niet. Misschien is hij in Tallinn.' 'Waar is Tallinn?' vroeg Miro. 'In Estland,' antwoordde Sarita, 'maar ik beloof je dat Marko-papa gauw komt.'

Miro vond de kreeften lekker, hoewel ze nog halfbevroren waren. Lang voorzag hem geduldig van staarten en het inwendige van de scharen en de jongen at met smaak, zonder overigens zelf te ontdooien. Wanneer Lang in de rol van oom vragen stelde, bleef hij zwijgen en trok een afwezig en mokkend gezicht. Ook Sarita waardeerde de kreeften. Ze smakte en slurpte ongegeneerd, ze liet zich de chardonnay goed smaken en Lang constateerde dat ze tot de kreefteneters behoorde die gulzig aan de schaal zuigen. Maar kreeft noch wijn hielpen: die nacht wilde Sarita niet met hem vrijen. Hij probeerde de binnenkant van haar dijen te strelen, maar ze duwde zijn hand voorzichtig weg en zei dat ze niet wilde dat Miro wakker zou worden van liefdesgeluiden, die eerste nacht dat hij thuis sliep. Lang had vaag het gevoel dat Miro een smoes was, dat er iets anders was wat Sarita dwarszat. Hij vermoedde dat de thuiskomst van de jongen haar herinnerd had aan wie ze in feite was, en een kort ogenblik voelde hij zich onzeker en ongemakkelijk in haar bed. Maar toen gleed Sarita over zijn borstkas en buik naar beneden: heel even voelde Lang haar lippen tegen zijn navel. Ze kwam overeind op haar armen, bewoog langzaam haar hoofd en kietelde met haar lange haren zijn huid. Ze legde een hand op zijn linkerlies, bewoog hem langzaam aan de binnenkant van zijn dij naar beneden en weer naar boven, tot haar vingers zijn geslacht aanraakten. Toen bracht ze haar hand langzaam naar zijn mond, legde haar wijsvinger op zijn lippen en liet een zacht 'sssttt' horen. Lang beet zachtjes in haar vinger. Even later gleed ze weer naar boven, ging met haar hele gewicht boven op hem liggen, kuste hem en probeerde tegelijk iets in zijn mond te laten lopen. 'Niet doen', zei Lang vlug. 'Waarom niet,' fluisterde Sarita plagend in zijn oor, 'je bent het toch zelf?' 'Ik wil het niet,' zei Lang zachtjes, 'ik ken dat. Je vindt dat er iets vernederends zit in wat je zojuist hebt gedaan, en nu wil je dat gevoel op mij overbrengen door mijn zaad in mijn mond te spugen. Het is gewoon stom.' Sarita ging overeind zitten en keek hem aan met een gezicht dat zowel verbazing als woede uitdrukte. Ze tuitte haar lippen en liet het vocht op zijn maag druppelen. Toen ging ze op haar rug naast hem liggen en legde haar ene been zo over zijn liezen dat haar voet zijn geslacht aanraakte. 'Nu is het mijn beurt,' fluisterde ze, 'nu is het mijn beurt, mijn slimme Lang.' 'En Miro dan?' vroeg Lang. 'Ik zal stil zijn,' zei Sarita, 'ik zal net zo stil zijn als jij.'

De volgende dag was een vrijdag en Sarita en Miro zouden het weekend doorbrengen bij Miro's peettante, een styliste met de naam Kirsi, die een zomerhuisje in de buurt van Heinola had geërfd. Lang verliet het appartement 's ochtends al, na vruchteloze pogingen aan de ontbijttafel om met Miro te converseren: de jongen was nog steeds ongeïnteresseerd, hij keek boos en antwoordde zo kort mogelijk op Langs vragen.

Lang nam, benadrukte hij tegenover mij, meteen diverse maatregelen om zijn zelfstandigheid, koelheid en scherpte van geest te hervinden. Hij was, bekende hij, een angstig mens, hij was bang voor talloze dingen, waaronder intimiteit, en nu was hij, onhandig genoeg, verliefd geworden op Sarita. En aangezien het het laatste weekend in augustus was, had hij een kant-en-klare en op de kalender genoteerde vluchtweg: de jaarlijkse zeiltocht met oom Harry, die in feite helemaal geen oom was van Lang, maar een neef van zijn moeder.

Oom Harry was zestien jaar jonger dan Langs moeder. Hij had nog een paar jaar te gaan tot zijn zestigste, maar hij was al helemaal grijs, en hij bezat het adelaarachtige en scherp gesneden profiel dat een enkele gelukkige ten deel valt als hij ouder wordt. Harry was ingenieur en werkte als afdelingschef bij Nokia, hij was pas laat getrouwd en hoewel zijn vrouw beduidend jonger was dan hij waren ze kinderloos. In zijn jonge jaren was Lang – hij gaf dat zonder omhaal toe – een bevooroordeeld anarchist geweest, hij had gemeend dat alle ingenieurs lef noch hart bezaten en hij had zich afstandelijk opgesteld tegenover oom Harry. Lang kon zich dan ook niet herinneren hoe en wanneer ze vrienden waren geworden, hij wist alleen dat ze elkaar met de jaren nader waren gekomen, en soms vermoedde hij dat Harry een soort vervanger was geworden van zijn vader, die er niet meer was.

Al vijftien zomers had Lang aangemonsterd als gast op de boot van oom Harry. Het was altijd de laatste vrijdag in augustus, hij nam de trein van Helsinki naar Hangö, hij had een enorme sporttas nonchalant over zijn schouder – er werd altijd gewaarschuwd voor storm en wanneer Lang van de trein naar de haven liep, neuriede hij steevast de woorden 'Plunjezak van vader, 's zondagse rok voor moeder...' want hij wist dat hij zoiets was als de zoon die oom Harry nooit had gekregen. Harry gaf zijn orders altijd rustig en gedecideerd, alsof hij verwachtte gehoorzaamd te worden. In het begin had Lang alleen gelachen, hij was toen een jongeman van vijfentwintig. 'Waarom lach je?' had Harry gevraagd, dat was toen ze over de verraderlijke Vidskärsfjärden zeilden. 'Omdat je blijkbaar verwacht dat ik zal gehoorzamen', had Lang geantwoord. 'Wat valt daar om te lachen?' had Harry gevraagd. 'Dit is toch voor de lol,' had Lang gezegd, 'het is toch niet het leger of staatsbestuur of iets dergelijks, ik kan met mijn armen over elkaar gaan zitten als ik wil, of van boord gaan.' 'Ga dan maar van boord', had Harry gezegd en hij had een weids gebaar gemaakt naar het groene en schuimende water. 'Ach, zo bedoelde ik het niet,' had Lang gezegd, 'ik ben alleen zo verbaasd dat jij blijkbaar vindt dat het bestaan een soort, tja, basisprincipes heeft die men moet respecteren.' 'Dat is ook zo,' had Harry gezegd, 'we nemen er alleen zo weinig nota van.' Lang had toen gezwegen maar nog steeds geweigerd over het gladde dek naar de voorplecht en spinnaker te gaan. 'Dit is geen spelletje,' was oom Harry verdergegaan, 'of anders is alles een spelletje, ook het leger en het staatsbestuur en de bedrijven waar we werken. Het kan nog harder gaan waaien, het kan gaan stormen, en we zijn een soort vrienden, jij en ik, maar we hebben ook te veel zeil staan en we kunnen allebei doodgaan; is je vrijheid dat waard?' Lang was blijven zwijgen. 'Kom op nou,' had Harry gezegd, 'er is storm op komst, ik kan hem horen.' 'Ik hoor niets', had Lang gesputterd, met norse stem. En Harry had geglimlacht en gezegd: 'Dat geluid hoor je niet, je voelt het, en het duurt jaren voor je dat in je hebt.'

Lang en oom Harry overnachtten ieder jaar op dezelfde

plaatsen. De eerste nacht hielden ze zich altijd op in een baai aan de scherenkust bij Hitis. Het waaide altijd hard, en achter de rotsen – glad en licht gewelfd, als de borsten van liggende vrouwen die nog niet opgevuld waren met silicone – rukte de wind aan de dennenbomen, hij huilde over de massa uitgebloeide muurpeper en wierp geurend zeewier lukraak omhoog in de spleten.

Oom Harry had, beweerde Lang, een onwaarschijnlijk rationele geest. Hij kon 's nachts navigeren, hij maakte gecompliceerde berekeningen aan de hand van de positie van de sterren en hij vergat nooit de proviand op te ruimen en de losse spullen te zekeren wanneer de wind opstak. Zelfs na verschrikkelijke hoeveelheden drank kon Harry minutieus de complexe problemen op de Europese telecommunicatiemarkt of de wederwaardigheden van de laatste jaarvergadering van de ingenieursvereniging uit de doeken doen. Toch praatten Lang en oom Harry vooral over vrouwen; wanneer ze alle wijn hadden opgedronken en een halve fles whisky geleegd, kwamen ze geheid op vrouwen uit. Maar om eerlijk te zijn, gaf Lang tegenover mij toe, was het zo dat Harry dan een sterrenkijker pakte en de hemel begon af te turen, terwijl Lang het gebulder van de wind, de sterrenhemel en de stilte tussen hen kapot begon te praten. 'Ik geloof dat ik de Plejaden heb gevonden', onderbrak oom Harry hem dat jaar, midden in Langs onsamenhangende verhaal over de prille affaire met Sarita. 'Waarom wordt haar stem koeler telkens wanneer ze beseft dat ik bezeten ben van haar, kun je me dat uitleggen?' vervolgde Lang onverdroten. 'Dat kan ik niet', zei Harry kort. 'Natuurlijk kun je dat, jij weet toch alles?' spotte Lang, die al behoorlijk aangeschoten was. 'Tja, misschien heeft ze behoefte aan onzekerheid, daar voel jij je trouwens ook prima bij, nietwaar?' zei Harry. 'En nu moet je een poosje je mond houden.' 'Waarom?' vroeg Lang. 'Omdat we nooit echt vrienden kunnen worden als jij zo bang bent voor de stilte tussen ons', zei

Harry vriendelijk. Lang ging naar de kajuit en kwam terug naar de kuip met een fles gin. 'Deze heb ik gekocht voordat ik in de trein stapte', zei hij en hij hield de fles omhoog. 'Ummm', zei Harry afhoudend. Daarna zat Lang een hele poos naar de sterren te kijken en naar de wind te luisteren en dronk van de bittere, onverdunde sterke drank. 'Waarom kan ik alleen liefhebben als ik verkeerd liefheb?' vroeg hij later op de nacht. 'Begrijp jij dat, Harry?' Al terwijl hij de vraag stelde, dacht hij: ik ben veertig jaar oud, ik vraag om vaderlijke raad, ik stel vragen als deze, er is iets helemaal mis met mij. 'Hoezo verkeerd?' vroeg Harry, 'bedoel je de verkeerde persoon?' 'Nee,' zei Lang, 'niet de verkeerde persoon, maar op de verkeerde manier.' 'Hoezo op de verkeerde manier?' vroeg Harry geïrriteerd, want Lang was nu heel dronken. 'Op een onrealistische manier,' mompelde Lang met dikke stem, 'op een wereldvreemde manier.' 'Ik begrijp je vragen niet dit jaar', zei Harry met vriendelijker stem. 'Natuurlijk begrijp je ze,' lalde Lang, 'jij begrijpt toch alles?' 'Vrouwen, mannen, mensen,' zei Harry en hij richtte zijn kijker naar de hemel, 'die begrijp ik niet.'

Lang dronk, gaf hij tegenover mij toe, die nacht veel te veel. Hij werd 's ochtends vroeg in zijn kooi wakker en moest overgeven in de scheepspot. Naderhand kroop hij het dek op om de po te legen. Buiten waren de sterren al aan het verbleken, de wind huilde voort over de licht gewelfde rotsen, en de zwarte waterspiegel van de baai werd gebroken door kille rimpelingen. Lang bleef lange tijd op het dek staan. Hij had een kater en voelde zich ziek, en hij besefte dat er niets bespottelijker was dan een succesvolle man van middelbare leeftijd die vanbinnen nog steeds een puber was, een puber die zijn leven beschouwde als een lijdensgeschiedenis en die ook duisternis zag waar overduidelijk de zon scheen. Het is altijd augustus, dacht Lang terwijl hij daar stond in de eenzaamheid van de vroege ochtend, de zomer is altijd bezig te verdwijnen en het weer is helder maar het stormt, en oom Harry wordt ieder jaar stiller, en ik word een steeds betere varensgezel maar zal nooit leren het leven te begrijpen; nog steeds komen de stormen zonder dat ik erin slaag te reageren.

7

De eerste herfst met Sarita leefde Lang volgens eigen zeggen als in een roes, alsof hij na meer dan twintig jaar onverwacht carte blanche had gekregen om terug te keren naar het leven als wispelturige en overjarige puber. De maanden september en oktober bungelde zijn talkshow aan een zijden draadje. De omroepleiding eiste dat de kosten drastisch omlaag zouden gaan, en bovendien wilden ze *Het Blauwe Uur* van de prime time op de vrijdag, waaraan iedereen gewend was, verplaatsen naar een onopvallend tijdstip op de dinsdagmiddag. Het alternatief, dreigden ze, was opheffing. Dientengevolge waren V-P Minkkinen en zijn medewerkers verwikkeld in harde en moeilijke onderhandelingen, maar Lang zorgde dat hij er niet bij betrokken raakte: toen Minkkinen begon aan te dringen op zijn aanwezigheid bij de onderhandelingen, kwam Lang met de ene zwakke uitvlucht na de andere.

In andere opzichten was Lang echter vol goede en constructieve wil. In tien jaar had hij niet veel meer aan beweging gedaan dan wat fietsen en een sporadische voetbalwedstrijd voor het goede doel, maar nu stelde hij een ambitieus trainingsprogramma op. Hij begon te trainen bij Gold's Gym aan Järnvägstorget, en toen een niets vermoedende vriend uit zijn studententijd opbelde om een biertje bij William K te gaan drinken, had die in plaats daarvan een paar minuten later de afspraak om iedere donderdag om 22.30 uur met Lang badminton te spelen in een sporthal in Hagalund.

Op een woensdagmiddag, het was een van de laatste dagen in oktober, belde V-P Minkkinen met het bericht dat de langdurige onderhandelingen resultaat hadden opgeleverd en dat *Het Blauwe Uur* het komend seizoen zou doorgaan. De enige concessie die hij had moeten doen, zei Minkkinen, was dat de zendtijd van de vrijdag- naar de donderdagavond zou verschuiven. 'Mooi is dat,' zei Lang met scherpe stem, 'en wie denk je dat dat gaat doen?' Hij hing op en ging naar het House of Bourbon om Vekku gedag te zeggen, die hij de hele zomer niet had opgezocht. 'Ha, die Lang,' zei Vekku, 'jou hebben we een tijd niet gezien... heb je die meid soms gevonden?' 'Ja, die heb ik gevonden,' antwoordde Lang, 'of eigenlijk heeft zij mij gevonden.' 'En, was ze de zoektocht waard?' vroeg Vekku. 'Dat was ze,' antwoordde Lang, 'iedere minuut ervan.' 'Wil je er eentje?' vroeg Vekku en hij hield een fles dure Ierse whisky omhoog. 'Nee,' zei Lang, 'ik ga naar de film met iemand.' 'Met haar?' vroeg Vekku. 'Nee, helaas', antwoordde Lang.

Sarita kwam met Miro naar de afgesproken plaats onder de klok bij Stockmann. Vervolgens gingen Lang en Miro kaartjes kopen voor een tekenfilm die draaide in een van de kleine zalen van Forum. Ze dwaalden door het centrum totdat de film zou beginnen. Miro bedelde om zachte fruittoffees voor 32,50 markka uit de speciaalzaak Candy Pix, en *Chrisschjan-setä* betaalde welwillend, want hij wilde immers dat Miro hem aardig zou vinden. De snoepzak was enorm groot en kraakte, en Miro's kaken kauwden als een bezetene. Halverwege de film hield de zak op met kraken en Miro met kauwen, en even later kotste de jongen halfverteerde fruittoffees en iets beter verteerde macaroni over Lang uit en begon te brullen dat het allemaal Langs schuld was. Lang spoelde in een wc het ergste af en gaf zijn visitekaartje aan een portier, waarop Miro en hij haastig de bioscoop verlieten.

Diezelfde avond lag Lang in Sarita's bed. Miro lag ingestopt in zijn hoek aan de andere kant van het appartement. Lang had nog steeds de zoetzure kotslucht in zijn neusgaten. Sarita sliep. Lang keek naar haar. Hij kon er niet genoeg van krijgen naar haar te kijken. Hij keek naar haar als naar een beeldhouwwerk, precies zoals ze die eerste avond op zijn bank al had gezegd. Ze had het dekbed van zich afgeschopt. Haar tenen waren lang en haar grote tenen een beetje krom. Haar kuiten waren dun. Haar heupen waren smal en het schaamhaar daar in het middelpunt was goed verzorgd. De diepe navel verhief zich en daalde wanneer ze ademde. De welvingen van haar borsten waren tamelijk vlak, en haar haren lagen als een donkere waterval uitgespreid over het kussen. Lang stond op en liep naar de keuken om water te drinken. Het viel hem op dat ze altijd bij Sarita sliepen, ze was niet meer bij hem thuis geweest sinds die eerste nacht in juli. Dat kwam natuurlijk door Miro, bedacht hij, maar ook door iets anders: namelijk dat hij, Lang, ervan hield bij Sarita te overnachten, om verstopt te liggen in het appartement met de twee kamers, in een vreemd hol waar hij buiten bereik van de wereld was, van Minkkinen en diens eeuwige financiële calculaties, van de uitgevers en hun gevraag hoe ver hij was met zijn nieuwe roman, van de organisatoren van matinees met hun voorstellen voor tijdrovende en slecht betaalde optredens in het land, van het nazigebroed dat hem e-mails stuurde waarin ze dreigden met represailles wanneer hij de socialisten, homoseksuelen en Zweedstalige Finnen niet uitsloot van zijn programma.

Hier, bedacht Lang, terwijl hij daar in de donkere herfstnacht stond en een glas lauw water dronk, hier kunnen de stress en slechtheid niet binnenkomen.

Maar nog tot in december, herinnerde Lang zich later, kon hij soms getroffen worden door een laatste restje van de melancholie die hem die hele zomer had gekweld. Zijn nieuwe leven, zowel dat met Sarita als het deel dat hij leefde zonder haar, eiste zijn tol. Op de donderdagen, wanneer hij badminton speelde met zijn oude studievriend om halfelf 's avonds, sliep hij tegenwoordig niet vóór vijven 's ochtends in. Sarita's omhelzingen hielpen niet, net zomin als de spiertrekkingen en sidderingen die door hem heen gingen wanneer hij zijn zaad in haar uitstortte. De lichamelijke liefde maakte Lang alleen maar wakkerder, hij voelde hoe het bloed door zijn aderen joeg en hoe de signaalsubstanties diep in zijn hersenen onder hoge druk aan het werk waren, hij voelde een enorme levenshonger en tegelijk een vage angst voor het onverbiddelijk voortschrijden van de jaren, en hij werd spraakzaam en kon Sarita niet met rust laten; keer op keer boog hij zich in het duister over haar heen, schudde aan haar blote magere schouder en fluisterde: 'Lieveling, slaap je?' Algauw begon dat Sarita te irriteren. De fotograaf voor wie ze werkte, was een ochtendmens en hij wilde dat Sarita precies om acht uur aanwezig was, en nog voor de kerst werd Lang op de donderdagavond naar zijn appartement op Skarpskyttegatan verwezen; een beetje mismoedig herinnerde hij zich dat hij nooit slaapproblemen had gehad na lichamelijke inspanning toen hij tien, vijftien jaar jonger was.

Maar er was ook iets anders: al vanaf het begin was er een gevoel van gêne over zijn eigen lichaam, en dat gevoel had Lang nooit eerder gekend. In de doucheruimte van Gold's Gym wierp hij verstolen blikken naar de krachtige borstkassen, gespierde buiken en zelfverzekerd bungelende geslachtsorganen van de jongemannen die nog geen kinderen hadden verwekt. Vervolgens richtte hij zijn blik recht naar beneden en zag slechts de helft van zijn penis in ruste, want een klein maar onmiskenbaar zwembandje onttrok de wortel van zijn geslachtsorgaan aan zijn blik. De schaamte was een subjectieve beleving en vond in stilte en in het geheim plaats, maar kwam keer op keer opzetten, en algauw beïnvloedde het hem ook als hij bij Sarita sliep en de liefde met haar bedreef. Hij werd zowel aangetrokken als afgeschrikt door haar vrijmoedigheid en zelfstandigheid, en soms wanneer zijn winterdroge en al wat slappe huid de hare beroerde, die glad was en naar vochtinbrengende crème geurde, voelde hij zich lelijk en onzeker en veel minder ervaren in de liefde dan zij. Sommige nachten gaf Sarita zich over aan een ongeremdheid die tegelijk soeverein was – *majestueus*, was het woord dat Lang gebruikte. Ze lag dan op haar rug met haar armen nonchalant uitgespreid over de hele breedte van het bed, ze hield Lang dus niet vast, ze raakte hem zelfs niet aan en haar ogen waren gesloten, en Lang kreeg het gevoel dat hij wie dan ook kon zijn, dat Sarita het genot over zich liet komen zonder dat het haar kon schelen wie haar daarbij hielp.

Op een vrijdagmiddag een paar dagen voor kerst reden Lang en Sarita de styliste Kirsi naar het vliegveld. Kirsi zou kerst en nieuwjaar gaan vieren bij haar vriendje Miguel in Madrid, en terwijl Lang achter het stuur zat van de Celica hoorde hij de twee vrouwen grapjes maken over Miguels prachtig gebeeldhouwde buikspieren, zijn 'sixpack'. Ze reden door een regenachtig grijs Kottby en Lang merkte hoe de woorden van de vrouwen, licht en zorgeloos als citroenvlinders op een dag in juli, hem teneersloegen. Toen ze op Tusbyleden kwamen, kon hij zich niet langer beheersen. Hij trapte op het gaspedaal tot de krachtige motor de snelheid van de auto had opgevoerd tot 130 kilometer per uur, en toen, precies op het moment dat de afrit naar Åggelby voorbijflitste, draaide hij zijn hoofd en siste: 'Jezus, dat jullie dat kunnen! Zijn jullie echt van die... leeghoofden?' Kirsi giechelde op de achterbank, maar Sarita keek hem koeltjes aan en zei: 'Nee maar, wat krijgen we nou. Stoor je je soms aan ons geklets?' 'Ja,' antwoordde Lang, 'ik stoor me eraan. Jullie klinken zo... onecht!' 'En bimboachtig!' voegde hij er nog aan toe. Sarita antwoordde niet, maar keek demonstratief door het zijraampje naar buiten; het miezerde en het landschap had een grijsbruine gloed die slechts onderbroken werd door de lichtreclames van Etujätti en Gigantti en andere goedkope warenhuizen. Maar later, toen ze terugreden naar de stad en alleen in de auto zaten, zei Sarita met koele, lege stem tegen hem: 'Als je je soms verbeeldt dat je het recht hebt het

niveau te bepalen van de gesprekken tussen mij en mijn vriendinnen, kun je beter meteen een andere minnares nemen.'

Dat was hun eerste echte ruzie, en op de een of andere
manier duurde hij dágen. Toen Lang en Sarita het appartement in Helsingegatan binnenkwamen, verliet Miro direct zijn
plek voor de tv, holde door de woonkamer en sprong in Sarita's
armen. 'Hoi, Chrisschjan', zei hij na een vlugge blik op Lang te
hebben geworpen. 'Hoi, Miro', zei Lang en hij liep naar de
keuken om een stoofschotel van vis- en schaaldieren te berei-
den. Toen het eten klaar was, aten ze, en Sarita en Lang deelden
een fles droge Italiaanse wijn, zonder een woord te wisselen. Na
het eten stopte Sarita Miro in bed, en vervolgens keken Lang en
zij naar de uitzending van die week van *Het Blauwe Uur*; ook
dat deden ze zwijgend.

De presentator Lang had deze week voor violet gekozen:
zijn overhemd was licht maar in een zacht lila schakering, de
kleur van de stropdas lag ergens op het snijpunt tussen wit en
roze en violet, en zijn colbert was donkerpaars. De privé-
persoon Lang vond het geheel er best goed uitzien, maar Sarita
gaf geen enkel commentaar op zijn kledingkeuze; ze zweeg. De
eerste gasten van het programma waren premier Lipponen en
de psychohistoricus professor Siltala. Lipponen had de hele
herfst zware kritiek gekregen vanwege zijn stroeve stijl van
leidinggeven, en Lang had hem en Siltala uitgenodigd om
te debatteren over de autoritaire erfenis in de Finse politiek.
Lang vond dat het gesprek soepel verliep en inhoud had, maar
Sarita gaapte een paar keer. Na een halfuur werd het programma onderbroken voor reclame, en toen zei Sarita haar eerste
woorden sinds die middag: 'Soms word ik zo moe van meningen dat ik het liefst zou veranderen in een zeeanemoon of
zoiets.' Vervolgens verdween ze in de slaapkamer en deed de
deur achter zich dicht. Lang haalde zijn schouders op en zette
de tv uit. Hij pakte de wijnfles en schonk het laatste restje in
zijn glas, ging voor het raam staan en dronk terwijl hij uitkeek

over de donkere en armoedige binnenplaats. Aan de overkant van de binnenplaats, één verdieping lager, zat iemand naar *Het Blauwe Uur* te kijken. De kijker was zo goed als onzichtbaar – Lang zag alleen een paar uitgestrekte benen en twee blote voeten op een voetenbankje – maar het tv-scherm zag hij des te beter. Lang bekeek zichzelf een poosje. Het was alsof je naar een stomme film keek, maar dan in kleur. Hij zag zichzelf zitten praten met een mannelijke steracteur die berucht was om zijn flamboyante levensstijl; ze praatten over hoe het was een voortdurend mikpunt van de roddelpers te zijn. Opeens vulde Langs gezicht in close-up het hele scherm. Aangezien het geluid, de woorden, ontbraken, werden zijn maniertjes opeens schrikbarend duidelijk. Alle dwangbewegingen en tics werden blootgelegd en uitvergroot: hij zag het geforceerde en gespeelde enthousiasme op zijn gezicht, en hij zag de grimas in zijn mimiek, hoe het trok in zijn mondhoeken en wangspieren wanneer hij inlevend probeerde te praten. En vooral zag hij zijn hánden, hoe ze in grote bogen rond zijn lichaam wiekten en zwaaiden en fladderden als grote onhandige vogels, en hij herinnerde zich hoe V-P Minkkinen er altijd al op had gewezen dat Lang een iets te levendige verschijning was voor het onbarmhartige tv-scherm en dat hij vooral moest leren zijn handen onder controle te houden. Lang voelde de weerzin terugkomen, de weerzin die hem de hele herfst had doen briesen en vloeken tegen V-P Minkkinen en de studioregisseuse en alle anderen. Wie was hij eigenlijk, die paarsgeklede snob daar op het beeldscherm? En wat had hij te zeggen, wat was de onschatbare waarde van de boodschap die hem het recht gaf beslag te leggen op de tijd van de mensen als ze allemaal moe waren na vijf lange, regenachtige en donkere werkdagen? Lang goot de laatste druppels wijn naar binnen en verliet zijn plek voor het raam. Hij liep met zware en aarzelende passen naar de slaapkamer, alsof hij al vermoedde waar hij geleidelijk achter zou komen: dat Sarita weliswaar de volgende dag al weer tegen hem zou praten, maar dat ze zijn lichaam niet zou strelen en ook niet zou toestaan dat hij haar zou strelen vóór de nacht van tweede kerstdag.

8

De regen bleef neerdalen over de grijze en doorweekte stad, het water stroomde rustig en gelijkmatig naar beneden, als gelaten godentranen. In de dagen tussen kerst en oudjaar plande Lang samen met V-P Minkkinen en een researchteam tot in details de uitzendingen voor het voorjaar; het waren lange werkdagen, en hij bracht verscheidene nachten alleen door in zijn appartement aan Skarpskyttegatan. De avond voor oudejaarsavond keerde hij terug naar Helsingegatan, opende met zijn eigen sleutel de deur en trof Sarita alleen in het appartement aan: ze zat aan de keukentafel yoghurt uit een kommetje te eten. 'Waar is de jongen?' vroeg Lang meteen, want hij had Miro een gameboy voor kerst gegeven, hoewel Sarita had gezegd dat de jongen daar te klein voor was, en Miro had luidkeels zijn waardering voor het cadeau getoond en voor het eerst ook voor oom Chrisschjan. 'Hij is bij zijn vader met oudjaar', zei Sarita kalm. 'Of eigenlijk bij zijn oma; Marko's moeder woont in Stensvik en daar zijn ze, alledrie', voegde ze eraan toe. Lang was van zijn stuk gebracht en ook een beetje jaloers: Miro was hem immers eindelijk gaan accepteren als welkome gast in huis, ja, als een vaderfiguur bijna, waarom was de jongen er dan uitgerekend nu niet? Bovendien had Marko de kerst ergens anders doorgebracht, in Åbo of anders in Stockholm, volgens Sarita, en Lang had al in geen weken aan zijn ingebeelde rivaal gedacht. Nu werd zijn angst geactiveerd voor de man die hij eerder zag als Sarita's vorige minnaar dan als Miro's afwezige vader. Hoewel er bijna vier maanden waren verstreken, bedacht hij, was Marko nog steeds een ontwijkende, bedrieglijke schaduw. Lang had hem nooit in het echt gezien, hij kende hem alleen van de foto tussen de spiegel naast Sarita's bed: een knap maar hard gezicht, het haar in een paardenstaart, de blik doordringend en scherp. Meestal sliep Lang naast de toilettafel, en soms had hij recht in Marko's roofdierogen gekeken wanneer hij wakker werd. Hij had Sarita willen vragen of de foto van Marko, Miro en haar niet kon verhuizen naar een andere plek, bijvoorbeeld in een kast met een deur die op slot kon. Maar hij had de vraag niet durven stellen, en misschien was het vanwege zijn eerdere lafheid dat hij nu een onweerstaanbare drang voelde om in twijfel te trekken en tegen te spreken. 'Weet je zeker dat Marko voor de jongen kan zorgen?' vroeg hij en hij voegde eraan toe: 'En hoe is die moeder eigenlijk?' Sarita keek Lang verbaasd aan en antwoordde: 'Natuurlijk weet ik dat zeker. Zolang Marko's stiefvader nog leefde, zou het niet in mijn hoofd opgekomen zijn om Miro daar te laten logeren. Maar Jokke, de stiefvader dus, is vorige zomer overleden. En Kati, Miro's oma, is een prima mens.' 'Wat was er dan met die Jokke?' vroeg Lang. Sarita zweeg een paar seconden, ze leek te aarzelen, toen zei ze ernstig: 'Hij was geen goed mens.' Lang zag Sarita's ernst en besefte dat hij niet moest zeuren; zijn intuïtie zei hem dat het gesprek dat ze voerden een mijnenveld was, en een moeras. Toch vroeg hij: 'En welke garanties heb je dat Márko een goed mens is?' 'Marko is misschien geen goed mens, maar voor Miro is hij aardig', zei Sarita resoluut en ze vroeg vervolgens: 'Waarom interesseert je dat eigenlijk zo?' 'Ik ben het verstoppertje spelen gewoon zat', antwoordde Lang en hij voegde eraan toe: 'Dat duurt al sinds we elkaar ontmoet hebben. Marko komt Miro alleen ophalen als ik ergens anders ben. En ben ik toevallig hier, dan pakken jij en Miro de tram naar het centrum en spreken met Marko af in een café en kom je daarna weer alleen naar huis. Voor wie schaam je je eigenlijk, voor mij of voor Marko?' Sarita schudde geïrriteerd haar hoofd en zei: 'Ik begrijp niets van jou. De hele herfst heb je lopen zeuren dat onze verhouding geheim moest blijven. Ik mocht het ternauwernood aan Kirsi vertellen, en nu wil je opeens dat ik je aan Marko ga voorstellen! Wat wil je nou eigenlijk?' Ze stond op van de keukentafel, begon het lege yoghurtschaaltje onder de kraan af te spoelen, en vervolgde: 'Bovendien gaat het niet om míjn gevoelens.' 'Nee, nee,' zei Lang, slechts iets milder gestemd, 'om wiens gevoelens...' 'Om die van Marko', onderbrak Sarita hem. 'Hij weet niet eens wie je bent. Hij weet alleen dat er een man is, en die man ben jij toevallig, en ongeacht wie je bent, staat Marko niet bepaald te trappelen bij het idee je te ontmoeten. Is dat zo vreemd?'

Op de ochtend van oudejaarsdag hingen er tussen Lang en Sarita nog steeds dunne maar onmiskenbare flarden van de bedrukte stemming van de kerst en de vorige avond. Toch bedreven ze 's ochtends meteen de liefde, dat herinnerde Lang zich absoluut, ze vrijden verscheidene keren en Sarita lag op haar rug met haar armen uitgespreid over de hele breedte van het bed. Maar ze zei niet zijn naam toen ze klaarkwam, ze zei niet 'Chrisschjan, oohh, Chrisschjan!' zoals ze altijd deed wanneer alles goed was tussen hen. Daarna stond ze op en ze liep naar de keuken om terug te keren met haar sigaretten en een asbak, en ze bewoog zich op een manier die nonchalant en soepel en als het ware vanzelfsprekend was, alsof ze helemaal niet de liefde hadden bedreven maar een zakelijke afspraak of zo hadden gehad en ze gewoon *toevallig* naakt was. En terwijl Lang met bewondering en verlangen in zijn hart naar haar keek, trok hij het dekbed dichter om zich heen en hij begreep dat hij niet langer op die manier naakt in de aanwezigheid van anderen kon of wilde rondlopen; het was een manier die de jeugd toebehoorde, dacht hij, en toen voelde hij weer die merkwaardige schaamte, waaronder hij de hele herfst had geleden: hij voelde zich een vreemdeling in zijn eigen lichaam, in het lichaam dat hem weliswaar genot had geschonken en nog steeds schonk, maar dat er niet langer uitzag zoals hij wilde.

's Middags ging Sarita naar het centrum om een glas champagne te drinken met een paar vriendinnen. Lang bleef achter in het lege appartement, zonder echter precies te weten waarom. Hij had natuurlijk ook iemand kunnen opbellen, V-P Minkkinen, de studiegenoot met wie hij badminton speelde, mij, maar hij deed zelfs geen poging. In plaats daarvan zette hij muziek op. Hij had Sarita met de kerst een cd-box gegeven met muziek uit de jaren zestig en zeventig, en zichzelf voorgehouden dat hij haar wilde laten inzien dat er geen mooiere popsongs waren geschreven, niet vóór en niet na die tijd. In werkelijkheid – bekende hij veel later tegenover mij – had hij haar die cd-box gegeven zodat ze de klanken zou begrijpen die zich in hem hadden vastgehaakt als kind en die sindsdien steeds opnieuw in hem werden afgespeeld. Hij legde de cd in de speler die begon met 'A Whiter Shade Of Pale' en verderging met Lou Reeds 'Perfect Day'. Daarna ging hij voor het raam staan en keek uit over de binnenplaats. Regen. Nat, glimmend asfalt. Bruine en vuilgele gevels, kil verlichte trappenhuizen, duisternis achter de meeste ramen in de appartementen. Maar niet aan de overkant één verdieping lager. Daar zag hij dezelfde, in spijkerbroek gestoken, uitgestrekte benen en blote voeten op een voetenbankje als die avond vlak voor kerst toen Sarita en hij ruzie hadden gemaakt. Nu keek de raadselachtige bewoner niet naar *Het Blauwe Uur*, maar naar een documentaire in zwart-wit die de rechtszaak tegen Adolf Eichmann in Jeruzalem in 1961 leek weer te geven; de handeling vond in ieder geval in een rechtszaal plaats en een man die erg op Eichmann leek, was vaak in beeld, geflankeerd door geüniformeerde bewakers. Lang bleef geruime tijd bij het raam staan luisteren en kijken. De oude songs en de motregen buiten en de zwartwitbeelden van Eichmann maakten dat hij werd gegrepen door een gevoel van onwerkelijk-

59

heid. Hij herinnerde zich hoe hij vóór de kerst voor hetzelfde raam had gestaan en zichzelf had gezien als in een lachspiegel, als een stomme en zinloos gesticulerende mediaclown in een paars colbertje. Hij realiseerde zich dat het beeld hem achtervolgde; het gaf aan dat hij het leven op de volstrekt verkeerde plaatsen had gezocht, toen hij het eerst in het schrijven had gezocht, in zijn romans, en in latere jaren steeds meer in de strak geregisseerde ontmoetingen tussen geschminkte mensen – en geschminkte opvattingen – onder de hete hemel van schijnwerpers in de studio. Het trof hem opeens hoeveel hij had veronachtzaamd. Was hij echt door twee huwelijken heen gejakkerd, zelfs door de gedaanteverandering van zijn eigen zoon van een pruttelende dreumes in een onbehouwen puber? Wanneer waren ze opgehouden, de oudejaarsavonden met geluksamuletten van tin en Coca-Cola drinkende kinderen en bezadigde tafelgesprekken en gehops op oude Springsteen- en Abbanummers samen met andere hologige en gestreste ouders van kleine kinderen? Waar waren alle vrienden van vroeger gebleven, alle geheven champagneglazen en optimistische verwachtingen van een nieuw en gelukkiger jaar? Even voelde Lang zelfmedelijden; hij had te doen met zichzelf en alle andere verdwaalde en thuisloze mensen. Maar tegelijk voelde hij in zijn maagstreek iets wat leek op de kriebeling uit zijn jeugd voor de ondoorgrondelijke grootheid van het leven, en het frappeerde hem hoe merkwaardig het was dat hij in een schemerdonker appartement in een flat aan Helsingegatan was beland, waar hij het bed deelde met een vrouw die dingen zei als *soms word ik zo moe van meningen dat ik het liefst zou veranderen in een zeeanemoon of zoiets* en die hem soms als een volslagen vreemde voorkwam. En vervolgens moest hij aan Miro denken, die oudjaar vierde in een flatgebouw in Stensvik samen met zijn mysterieuze vader Marko, en die nog bijna al zijn jaarwisselingen voor zich had. En toen Lang eenmaal aan Miro dacht, trof ook het beeld van zijn eigen zoon hem met vernietigende kracht.

Johan.

Negentien jaar, bijna twintig. Hij was meteen na zijn eind-examen vorig voorjaar naar Londen vertrokken, net toen Lang zich zo gestrest en uitgeput had gevoeld dat hij niet in staat was geweest erbij aanwezig te zijn, niet bij de schoolafsluiting en niet bij de diploma-uitreiking. Lang had bloemen gestuurd en een kort briefje, en een week later had hij een flink bedrag op Johans bankrekening gestort. En daarna? Een paar korte e-mails naar een hotmailadres in het begin van de herfst, mailtjes die onbeantwoord waren gebleven, en daarna niets meer. Lang zag Johans magere en slungelige gestalte voor zich, zijn dunne armen en benen en zijn blonde, altijd weerbarstige haar. Hij haalde zijn mobiele telefoon tevoorschijn en zocht in zijn telefoonboek tot hij het nummer had gevonden dat Anni, zijn eerste vrouw en de moeder van Johan, hem ooit had gestuurd met een laconiek: 'Mocht je eens in de gelegenheid zijn...' Hij stond lang te aarzelen, probeerde zichzelf wijs te maken dat de batterij niet voldoende was opgeladen voor zo'n belangrijk gesprek; hij kon Johan na al die maanden toch niet afschepen met een paar woorden, kort en zakelijk. Maar de kolom rechts in de display gaf vier volle blokjes aan, en uiteindelijk vatte Lang moed en drukte op 'bellen'. De telefoon ging lang over, maar uiteindelijk antwoordde een vrouwenstem, luid en dui-delijk alsof ze in het appartement naast hem zat. Lang schraap-te zijn keel en vroeg naar zijn zoon. Hij sprak de naam op zijn Engels uit, *Djohen*, en voelde zich belachelijk terwijl hij dat deed. 'I'm sorry, but Johnny ain't here, ain't been for a couple of days', zei de vrouw; ze klonk erg jong en Lang kreeg het gevoel dat ze een Amerikaanse was. 'Do you have any idea where he is?' vroeg hij vervolgens, en het meisje antwoordde: 'I'm afraid not. I'm only staying here for a few weeks, and I don't know that much about people's whereabouts.' 'Staying where' wilde Lang vragen, want hij wist niet waar Johan woonde; het enige wat Anni had gezegd was dat hij in een kraakpand ergens in een buitenwijk woonde. 'If I see Johnny before I leave, whose regards shall I give him?' vroeg het meisje behulpzaam. 'Tell him his father called and wanted to wish him a Happy New Year', zei Lang en hij merkte dat hij probeerde zijn stem luchtig en neutraal te laten klinken toen hij het woord 'father' uitsprak. 'Oh, so you're his father...' zei het meisje, en toen ze verderging hoorde Lang in haar stem een respect doorklinken dat er zojuist niet was geweest: 'I'm so sorry I couldn't help you.' 'That's allright,' zei Lang, 'it's hardly your fault.' 'If I see him, I'll be sure to tell him you called', zei het meisje en ze vroeg vervolgens beleefd: 'How's the weather in Finland?' 'Greyish,' antwoordde Lang kort, 'our winter stinks this year.' 'Likewise,' zei het meisje, 'but have a Happy New Year anyway.' 'Yes,' zei Lang, 'and a Happy New Year to you, too.'

9

Toen de winter eindelijk zijn intrede deed, nadat het nieuwe jaar een paar dagen oud was, ging dat vergezeld van sneeuwmassa's die Helsinki in geen decennia had gezien. Algauw was de stad veranderd in een sprookjeswereld, gehuld in wit en met ijskoude, heldere sterrennachten en warmere, bewolkte dagen zonder wind, waarin grote sneeuwvlokken langzaam neerdwarrelden uit een hemel met een schijnbaar onuitputtelijke voorraad. Half januari al hoopte de sneeuw zich op in enorme witte wallen op de trottoirs, en over die wallen liepen smalle, kronkelige paadjes, waarlangs behoedzame mensen zich glibberend voortbewogen. Alle geluiden werden gedempt, herinnerde Lang zich achteraf, zelfs de vrolijke uitbundigheid van de kinderen die heer en meester waren over de schaatsbanen en hellingen, en zelfs het gerammel van de sneeuwschuivers die dag en nacht reden en vele kubieke meters sneeuw wegschoven zodat de personenauto's die langs de straten van de stad geparkeerd stonden, veranderden in zachte, slagroomtaartachtige witte pakketten.

De plotselinge weersomslag had een verrassende uitwerking op Sarita. Toen Lang mij schreef vanuit de gevangenis om te vertellen over juist deze winter en het daaropvolgende voorjaar, verontschuldigde hij zich voor zijn banale taalgebruik. Hij wenste, schreef hij, dat hij het op een elegantere manier had kunnen weergeven, maar die was er niet: de sneeuw werkte als een afrodisiacum op Sarita; ze werd gewoon ongelooflijk geil, en dat bleef ze. En nu, benadrukte Lang, was er niet langer sprake van een bedrukte stemming, nu omhelsde ze hem nacht na nacht, nu fluisterde ze zowel 's ochtends als 's avonds het

'Chrisschjan, oohh, Chrisschjan!' waarnaar hij zo had gehunkerd.

Sarita's erotische bezetenheid stak hem ook aan, en de tobberijen die Lang al zo'n tijd hadden gekweld, verdwenen. Algauw werd hij volledig opgeslokt door het leven. Winternachtenlang schreven Sarita en hij op elkaars huid en tekenden op elkaars lichaam, en soms voelde Lang zich terugverwezen naar de pubertijd, naar die koorts om te leven en dat gevoel zijn zaad te willen uitstorten over de wereld. Dit alles had ook een gunstig effect op *Het Blauwe Uur*. De hele herfst had het ernaar uitgezien dat Lang *Het Blauwe Uur* te gronde wilde richten, en de relatie tussen hem en V-P Minkkinen was tot het uiterste op de proef gesteld. Maar nu herrees de Lang die ooit de ongekroonde koning van de Finse talkshowwereld was geweest. De lethargie en chagrijnigheid waren verdwenen; Lang zat ineens vol gewaagde invallen wat betreft de keuze van thema's en gasten, en zijn herwonnen energie kwam ook tot uitdrukking in de studio, waar hij scherp was en doorgrondend, maar toch vriendelijk genoeg zodat de gasten zich op hun gemak voelden; alleen, zei een tevreden V-P Minkkinen tegen hem, Langs kledingkeuze liet nog te wensen over.

Op een vrijdag, toen Lang zoals gewoonlijk de voorgaande nacht thuis op Skarpskyttegatan had doorgebracht, stapte hij 's middags even over vijven Sarita's appartement binnen. Hij zette de twee volle boodschappentassen op de keukentafel en werd Miro gewaar, die op de grond voor de tv zat. 'Hoi Miro', zei Lang vriendelijk. 'Hoi', zei Miro zonder op te kijken; hij werd in beslag genomen door een tekenfilm op MTV. 'Waar is Sarita?' vroeg Lang. 'Ze heeft me opgehaald uit de crèche, maar ze moest nog naar een boetiek en het postkantoor', antwoordde de jongen vlak. Lang begon de etenswaren uit de tassen te halen: gesneden kipfilet, groente, kruiden, rijst. Miro stond op van zijn plaats voor de tv, glipte de keuken binnen en ging achter Lang staan en zei: 'Het was leuk gisteren

toen Marko-papa hier was. We hebben met de gameboy gespeeld die ik van jou heb gekregen. We hebben Donkey Kong
en Tetris gespeeld.' Lang verstrakte even, maar hij was de
laatste weken zo euforisch gestemd dat hij zich meteen vermande en bedacht dat er vast een natuurlijke verklaring voor
Marko's aanwezigheid was. 'O ja,' zei hij met kalme stem, 'en
wat deed Marko-papa dan hier?' 'Hij was hier voor mij',
antwoordde Miro vlug, en Lang hoorde in de stem van de
jongen grote liefde voor zijn vader. Lang voelde hoe er twee
denkbeeldige horentjes uit zijn voorhoofd begonnen te groei-
en; de steek van jaloezie was zo sterk dat hij aan Miro, een
jongetje van zes, wilde vragen of hij wist of Marko-papa ook
was blijven slapen. Hij slikte met moeite de vraag in, en begon
het eten klaar te maken. Miro bleef nog even staan, maar
keerde toen terug naar zijn plek voor de tv. Krap een uur later
kwam Sarita thuis, trok haar nieuwe, zwarte winterlaarzen met
hoge hakken uit, liep op Lang af en kuste hem op zijn mond.
Lang gooide nonchalant een gevlochten onderzetter op tafel en
zette vervolgens de dampende, Thais gekruide kipschotel op de
onderzetter. Nadat ze een tijdje aan tafel hadden gezeten en
Lang en Sarita al een eerste glas wijn op hadden, zei Lang
vriendelijk voor zijn neus weg, zoals je dingen zegt wanneer je
de indruk wilt wekken dat wat je zegt absoluut niet belangrijk
is: 'Ik hoorde dat Marko hier gisteravond was.' Sarita wierp
een vlugge blik op Miro en keek vervolgens naar Lang, en
doorzag hen allebei onmiddellijk. Ze glimlachte naar Lang op
een manier die hem inwendig deed duizelen, toen boog ze zich
naar hem toe, streelde zijn arm en zei: 'Hij heeft een paar
uurtjes opgepast, ja. Ik was met Kirsi naar de bioscoop.' Lang
schepte nog wat van de kipschotel op zijn bord en keek Sarita
rustig aan. 'Wat hebben jullie gezien?' vroeg hij. '*Ambush*',
antwoordde Sarita. 'Was het een goede film?' vroeg Lang.
Sarita glimlachte weer en ze zei: 'Ja, het was een goede film.
En Marko is vijf minuten nadat ik thuis was weggegaan, voor

65

het geval je je dat afvraagt.' Ze pauzeerde even, en vervolgde toen zachtjes: 'Ik hou namelijk best een beetje van je, Lang, vergeet dat niet.'

Wanneer Lang wilde beschrijven hoe gelukkig ze die winter en lente waren geweest, vertelde hij vaak over zijn bewondering voor de manier waarop Sarita voor Miro zorgde, en over haar engelengeduld met Marko en zijn kapsones. Ook benadrukte Lang graag de stilzwijgende verstandhouding die al snel ontstond tussen hem en Sarita wat betreft de dagelijkse gang van zaken en de daarbij behorende beslommeringen. Blijkbaar vond Lang het belangrijk mij ervan te overtuigen dat hun hartstocht niet alleen de seks betrof, en ik heb geen reden om aan zijn oprechtheid te twijfelen.

Marko bleef Lang ontwijken. Maar wanneer hij terugkeerde van zijn vage buitenlandse reizen en verblijven in diverse Finse steden, belde hij altijd om zijn zoon op te eisen, en sloeg ongegeneerd munt uit Miro's grote liefde voor hem. Sarita luisterde geduldig naar Marko's uitleg waarom hij nu weer verdwenen was. Vaak veranderde ze vervolgens haar eigen – en daarmee ook Langs – plannen op het laatste moment, opdat Marko Miro in het weekend kon meenemen naar het pretpark Borgbacken of naar het appartement van zijn moeder in Stensvik.

Maar wat Lang het allermeest imponeerde was niet Sarita's verdraagzaamheid tegenover de onzichtbare Marko, maar het dagelijkse samenspel tussen haar en Miro. Sarita kon echt kwaad worden op de jongen. Ze kon vloeken en tieren tegen hem. In sommige situaties, als hij bijvoorbeeld tegenstribbelde wanneer hij zijn jas moest aantrekken, pakte ze hem zelfs hardhandig vast. Maar ze wist, volgens Lang, altijd waar de grens lag. Ze kwetste Miro nooit, ze vernederde hem niet, en als ze té hardhandig was geweest, had ze meteen spijt en vroeg haar zoon om vergiffenis en omhelsde hem met een liefde die niet mis te verstaan was. En dat zorgde ervoor dat Miro van haar hield en haar zozeer vertrouwde dat hij zelfs af en toe een woedeaanval kreeg, iets wat, onderstreepte Lang, een enig kind met maar één betrouwbare ouder zichzelf niet altijd durft toe te staan.

Wanneer Lang Sarita's en Miro's leven observeerde, kon het gebeuren dat er luikjes opengingen en hij flitsen zag van een verleden dat jarenlang uit zijn geheugen was weggewist. Hij zag zichzelf zitten met Anni en Johan in een klein appartement in Fjälldalsgatan in Tölö. Het was in de vroege jaren tachtig, ze aten dezelfde, vreedzame en gelukkige maaltijden als hij en Sarita nu aten, en net als Miro hield Johan ervan om, verstopt onder tafel, de benen van de volwassenen aan te raken. Soms zag Lang dingen voor zich die ooit essentieel in zijn bestaan waren geweest, maar waar hij later nooit meer aan had ge- dacht: de commode, het pak luiers, de bijdehandjes, Johan die ophield met huilen zodra hij verschoond werd, en vervolgens naar lucht lag te happen en tevreden lag te pruttelen in het donker. Hij herinnerde zich de herfst toen Johan één werd en er nog steeds geen plaats was op de crèche, terwijl Anni weer moest beginnen met haar baan bij de radio. Lang zat thuis en schreef aan zijn eerste roman terwijl Johan sliep. Wanneer Johan wakker werd, gingen ze naar buiten. Dag in dag uit duwde Lang Johans kinderwagen door het Hesperiapark in een schijnbaar eeuwigdurende motregen. Johan zat rechtop in de wagen, hij droeg een turkooizen mutsje dat onder zijn kin was vastgeknoopt en hij lachte naar de mensen die ze tegen- kwamen. Ze gingen een tearoom binnen en kochten vlees- pasteitjes voor Lang en aardbeienijs voor hen allebei. Maar toen ze weer thuis waren en zouden gaan eten, smeerde Johan zalm- en aardappelpuree tegen de muren en over Lang en zijn eigen nog dun behaarde hoofd, en Lang werd woedend, sleurde de jongen uit de kinderstoel en sméét hem letterlijk op de grond, waarop Johan onbedaarlijk begon te huilen.

Meer dan een jaar lang werd Lang achtervolgd door beelden uit het verleden. De beelden hadden pijn gedaan, want ze hadden hem herinnerd aan de kilte in zijn ouderlijk huis en aan zijn tekortschieten als jonge volwassene. Maar nu zijn innerlijk niet alleen beelden van weemoed en angst vrijgaf, maar ook van het geluk dat er regelmatig was geweest, maar dat wij mensen zo makkelijk vergeten, voelde hij iets wat op verzoening leek. En daarvoor was hij Sarita dankbaar, dat ze hem na stond, en dat ze hem door haar manier van leven in staat stelde zich dingen te herinneren zonder dat verdriet of schaamte de overhand namen.

Alleen heel af en toe had Lang momenten van wat hij later helderziendheid zou noemen, maar die hij afdeed als uitingen van een neurotische aanleg. Er waren momenten dat hij een plotselinge scherpte en onzekerheid in Sarita's lach meende te horen. Ze kon een seconde te vroeg of te laat lachen om iets wat hij of Miro of Kirsi had gezegd, en in haar lach klonk dan een scherpe ondertoon, alsof ze eigenlijk wilde huilen of bijten of allebei. Lang wist ook dat Sarita soms vluchtte in een over-actieve en harde geilheid om te voorkomen dat ze sentimenteel werd, en hij had dagen meegemaakt dat ze zich dusdanig wapende met cynische en ironische oneliners dat die al het andere wat in haar zat aan het zicht onttrokken. Hij vermoedde dat Sarita als kind té snel volwassen had moeten worden, dat ze het flink voor haar kiezen had gehad door de tegenstrijdige eisen die er aan haar werden gesteld door haar ouders of vrienden of Marko of iemand anders; hij durfde er nog niet naar te vragen. In plaats daarvan wachtte hij af tot haar slechte humeur over was, tot ze weer naar hem toe kwam om hem op zijn mond te kussen en te glimlachen op die manier die hem vanbinnen deed duizelen. Lang, die altijd had gedacht dat hij immuun was voor zulke glimlachen, vergat op die momenten alle aarzeling en alle verontrustende observaties; hij voelde alleen maar een grote saamhorigheid met Sarita en een sterk verlangen haar nog nader te komen, en in hem rijpte langzaam een beslissing. En later, toen zijn moeder opbelde – dat was eind maart – om te vertellen dat zijn zuster Estelle weer in het ziekenhuis was opgenomen, nam hij meteen een besluit: hij zou Sarita in vertrouwen nemen, hij zou haar vertellen over zijn jeugd, over zijn thuis en over zijn ouders, en over Estelle.

IO

We waren vanaf het begin verschillend, Lang en ik. We waren vooral verschillend toegerust, en onze vriendschap was scheef en ongelijk vanaf het allereerste moment. Maar desondanks is vriendschap een van de dingen die we hebben gedeeld. Een tweede is het schrijven, het vastleggen van woorden op papier, het zoeken naar een manier om te vertellen wat eigenlijk niet verteld kan worden. En een derde is onze liefde voor Estelle, en het verdriet over haar onvolgroeide leven.

Al sinds onze kinderjaren steekt Lang soms de draak met mij en met mijn gebrek aan fantasie en talent. Lang is een verrassend persoon, iemand die de uiterste grenzen van het menselijke niet vreest. Ik ben niet zo. Lang gaat in de aanval, verleidt, neemt initiatief. Ik niet.

Wanneer ik aan een verhaal ben begonnen, word ik meestal blind en doof voor de buitenwereld. Lang heeft er nooit een geheim van gemaakt dat hij het psychologisch realisme dat ik vertegenwoordig veracht, en aan dit verhaal gingen dientengevolge zo veel sarcastische vermaningen en regelrechte verboden vooraf, dat ik me aan handen en voeten gebonden voelde. Maar ik zal u de ironie en gemeenheden uit de brieven die Lang me vanuit de gevangenis stuurde besparen en u in plaats daarvan het einde van een recensie laten lezen van mijn vierde roman, *Nacht in Kallhamra*. Kallhamra is de fictieve, gekunstelde naam die ik gaf aan de buitenwijk waar ik ben opgegroeid. En de volgende woorden, ondertekend door CL, stonden tamelijk exact zeven jaar geleden te lezen in een exclusief, zeer gerenommeerd literatuurtijdschrift, een paar maanden nadat mijn boek was verschenen.

'...*Konrad Wendells nieuwe roman is dientengevolge groot en ambitieus opgezet, en wordt ook voortgedreven door een moreel ethos. En misschien ligt daar nu net het probleem. Wendell wíl zo vreselijk veel met zijn boek, en het resultaat is dat het te veel van alles wordt. Hij houdt van zijn protagonisten en wil verzoening naar rechts en links; de hele roman wordt zodoende gekenmerkt door een krampachtige innigheid die nog eens wordt onderstreept doordat zijn personages zo onbeholpen en ongelukkig zijn in hun onderlinge relaties.*

Konrad Wendell heeft boek na boek de lovenswaardige opzet gehad onze recente geschiedenis en de veranderingen in de tijdgeest te schilderen die de verschillende generaties in de late helft van de twintigste eeuw hebben gevormd, en hij bezit de sociologische en psychologische scherpzinnigheid die nodig is voor de uitvoering van zo'n project. Maar Wendell stelt zich veel te vaak tevreden met navertellen in plaats van interpreteren. En aangezien zijn wereldbeeld enkele cruciale tekortkomingen kent – een monomaan en verouderd klassenperspectief gekoppeld aan de overtuiging dat het wezen van de volwassen mens in al zijn nuances af te leiden is uit zijn kindertijd – wordt de omvangrijke vertelling in feite verbazend beperkt. En aangezien Wendell dit keer meer dan anders ten prooi is gevallen aan een van zijn andere onhebbelijkheden, een overdadig gebruik van zware tijdsiconen, is het resultaat vooral een delicatesse voor de zogenaamd zelfkritische bourgeoisie. Het is niet zonder reden dat Konrad Wendell mij dit keer doet denken aan de woorden van Mallarmé over Zola en de andere naturalisten: Ils font leurs devoirs, *ze doen hun huiswerk.*'

Ik citeer dit oude document alleen om u een idee te geven van de expliciete instructies die Lang mij vier jaar geleden gaf: geen woord over vroeger jaren! Geen enkele poging tot psychologische verklaringen op basis van de kindertijd!

Maar nu ben ik op een punt aangeland vanwaar ik het verhaal niet verder kan vertellen zonder tegen Langs nadrukkelijke orders in te gaan. En dat komt door Estelle. Zij is het punt waar ik niet omheen kan. Ik kan haar niet in de handeling opnemen en tegelijk doen alsof het verleden nooit heeft bestaan.

De buitenwijk ligt in het noordwesten van Helsinki. De naam doet er niet toe; ik heb hem al beschreven in romans en essays, en ik wil niet dat dit mijn verhaal wordt. Ik ben opgegroeid in een van de huurkazernes boven op de heuvel, anderhalve kilometer van de kuststrook met zijn villa's en herenhuizen. Zowel de basisschool als de middelbare school lag beneden aan zee, en gedurende vele lange jaren ben ik de langgerekte helling af gelopen met een rugzak op mijn rug, en de laatste vijf met een versleten leren aktetas die ik van mijn vader had gekregen. In het begin kende ik niemand die daar beneden woonde; al mijn vrienden woonden in de huurflats boven op de heuvel, net als ik.

De familie van mijn vaders kant woonde al generaties lang in Helsinki, zij het zonder erg op te vallen. Mijn overgrootvader had in het begin van de twintigste eeuw een detectivebureau met een kantoor op Mikaelsgatan. Mijn opa daarentegen was een drankorgel, die de eerste aanzet tot een privé-vermogen die zijn vader hem naliet, binnen de kortste keren opzoop. Mijn vader, Rurik Wendell, was een luidruchtig maar ongevaarlijk type, die zijn hele leven in een ijzerhandel werkte en langzaam maar zeker opklom tot filiaalchef. Hij verzamelde oude filmaffiches en hield van mijn moeder, die Maiju heette en die was opgegroeid op het platteland in de buurt van Björneborg. Ik was de jongste thuis; ik had twee oudere broers en een zus. Rurik en Maiju zijn allebei overleden, evenals mijn oudste broer Kaj; hij is als jonge student omgekomen bij een verkeersongeluk. Mijn zus Karina was in haar jeugd Fins judokampioen, nu is ze moeder van vier kinderen en werkt bij een bank. Mijn broer Kim is stuurman en de laatste keer dat ik hem sprak, werkte hij op een van de boten die van Helsinki op Tallinn vaart. We waren kleinbehuisd toen ik jong was en er was vaak gebrek aan geld; toch heb ik er overwegend prettige herinneringen aan overgehouden. Hoewel Lang altijd het tegenovergestelde beweerde, ben ik nostalgisch noch familieziek: ik ben nooit teruggekeerd naar de heuvel, en ik heb sporadisch contact met mijn broer en zus.

Ik vertel dit allemaal alleen zodat u zult begrijpen hoe onwaarschijnlijk de vriendschap tussen Lang en mij was. Want vrienden werden we, en wel bijna direct nadat de familie Lang een twee-onder-een-kapvilla had betrokken vlak bij de oude cadettenschool, op een steenworp afstand van de zee. Misschien had Lang een betrouwbare wapendrager nodig om naast te schitteren: we waren weliswaar pas tien, maar er heeft nooit enige twijfel over bestaan wie van ons het meest getalenteerd was. Of misschien was hij gewoon eenzaam. Want hoewel Lang leuk was om te zien en al vroeg aandacht van de meisjes had, en hoewel hij goed was in alle balspelen en op die manier vrienden kreeg, werd hij nooit bijzonder populair. De eerste jaren in de buitenwijk had hij iets verlegens en teruggetrokkens over zich, maar in de puberteit onderging hij een persoonlijkheidsverandering; hij gedroeg zich zeker en kil hooghartig, waardoor niemand hem na kwam.

Het huis waarin de familie Lang woonde was deftig, maar de woning was niet zo groot als je zou verwachten; achteraf denk ik dat de familie niet zo veel geld had als ze deden voorkomen. Langs vader heette Stig-Olof. Hij was jurist en werkte bij een gerenommeerd kantoor in het centrum. Thuis was hij nogal afwezig en stijfjes, hij zat het liefst in zijn werkkamer pijp te roken en juridische verhandelingen te lezen. Als hij zijn werkkamer uit kwam, pakte hij altijd de riem die in de gang aan de muur hing om de hond van de familie, de airedaleterriër Bobby, uit te laten. De eigenlijke spil van het gezin was de moeder, Christel; een formidabele Fins-Zweedse dame, zo eentje die altijd alles regelt en er nooit aan twijfelt dat haar opvattingen over van alles en nog wat objectief gezien de enige juiste zijn. Dochter Estelle was twee jaar ouder dan Lang, en net als haar broer donkerharig. Er zijn meisjes met een beugel en een slechte houding en dof haar die op de drempel naar volwassenheid opbloeien tot schoonheden. Zo niet Estelle. Ze was op dertien-, veertienjarige leeftijd al waanzinnig mooi, zo mooi dat ik begon te blozen en ademnood kreeg zodra ik mij in dezelfde ruimte bevond als zij.

Het leven kon lawaaierig zijn in de huurflats op de heuvel, maar ik ben nooit jaloers geweest op het leven dat de familie Lang leidde. Er hing een heerlijke koelte over het leven daar beneden aan de kust, en ik zal nooit vergeten hoe het voelde om op een septemberavond door de lommerrijke smalle straten te dwalen terwijl de lucht afkoelde en de laatste zonnestralen de wereld rood kleurden. Maar het leven daar beneden bestond niet alleen uit mooie huizen en goed onderhouden tuinen met zilversparren en duindoornhagen. Er was ook iets anders, iets tussen de mensen, iets ondefinieerbaars wat ik ook bij de familie Lang meende te bespeuren: een afstandelijkheid, een onwil, een onvermogen… ik kan het nog steeds niet benoemen, ik weet alleen dat het mij deed huiveren en dat ik wist dat ik het niet in míjn leven wilde hebben.

Vijfenhalf jaar hield de familie Lang het leven in Suburbia vol. Toen verhuisden ze terug naar het centrum, naar een woning aan Petersgatan. Lang en ik waren zestien en zouden naar de vierde klas van de middelbare school gaan, en de avond voordat hij verhuisde zaten we voor de laatste keer op zijn kamer te praten over de jaren die voorbij waren gegaan en over dat we vrienden zouden blijven. Langs kamer lag aan de zij-kant, en ergens na middernacht kwam Estelle aanwaggelen door de tuin van de buren. Ze zou in het kader van een uitwisselingsprogramma naar Massachusetts vertrekken en was afscheid wezen nemen van haar vrienden. Ze was ontzettend dronken en misschien ook high van hasj of marihuana, en toen ze bij de grote spar kwam, die midden in de tuin van de buren stond, bleef ze staan en trok – zonder om zich heen te kijken – haar broek naar beneden en ging op haar hurken zitten om te plassen. Het was in augustus en volle maan die avond, ze zat met haar rug naar ons toe en ik besefte dat ik nog nooit zoiets moois had gezien als haar witte billen. Toen ik erin slaagde mijn ogen van haar los te rukken, keek ik opzij en ik zag dat Lang haar net zo intensief bestudeerde als ik, maar met een uitdrukking op zijn gezicht die heen en weer pendelde tussen tederheid en vertwijfeling.

Toen Lang terugverhuisd was naar het centrum, kreeg hij algauw nieuwe kennissen. Hij was nog steeds niet erg populair, zelfs nauwelijks geliefd, maar nu begon duidelijk te worden dat hij een buitengewoon charisma had: soms leek de kring om hem heen meer op een hofhouding dan op een groep gelijkgestemde pubers. En onze voortdurende vriendschap was volledig afhankelijk van het feit dat ik de tram of bus naar de stad nam, want Lang bracht na zijn verhuizing nooit meer een bezoek aan de buitenwijk.

Het jaar erop kwam de mooie Estelle in de nazomer terug uit Amerika. Ik was op het welkomstfeest op het eiland van de familie Lang in Porkala, maar mij is toen niets opgevallen, behalve dat ze misschien meer rookte. In de herfst werd ze voor het eerst ziek. Ik kwam vaak bij Lang op bezoek en ik herinner me het verloop nog goed. Het begon met onverwachte opmerkingen, vaak in de vorm van grove seksuele toespelingen in een ogenschijnlijk onschuldig alledaags gesprek. Aan het eind van de herfst deed Estelle steeds meer denken aan een gekooid dier. Ze waste haar haar en maakte zich op en trok haar leukste spijkerbroek en mooiste truitje aan om uit te gaan. En een uur later stond ze weer onder de douche om zich te wassen en zocht vervolgens onder dreigend gemompel – dat vonden

Lang en ik in ieder geval – andere kleren uit. Maar uitgaan deed ze niet, en wanneer ik vertrok en vanaf de straat omhoogkeek naar hun appartement, zat ze voor het raam te roken en staarde dwars door me heen. Ze ging ook niet meer naar school en dwaalde hele dagen door de stad, verspeelde in diverse cafés haar geld in gokautomaten en kreeg dubieuze uitnodigingen van morsige en verlopen mannen. Haar moeder, Christel, probeerde op haar energieke manier haar dochter te activeren, ze voerde crisisoverleg met Estelles leraren en probeerde haar ondertussen weer op kunstrijden en aan het vioolspelen te krijgen. Maar Estelle werd steeds apathischer. Ze verzorgde zichzelf niet meer; ze stonk naar zweet, haar haar zat in de klit en ze had rouwrandjes onder haar vinger- en teennagels. De hele maand januari lag ze onbeweeglijk op bed en ze stond alleen maar op om naar de eetkamer te gaan en lusteloos in het warme eten te prikken of voor haar raam te gaan zitten roken. Lang en ik maakten ons ontzettend zorgen om haar. Op een dag was ze plotseling weg, en het enige wat Lang zei was: 'Ze hebben haar opgenomen.'

Ik heb nooit de geringste aanwijzing gehad over iets concreets dat Estelles ziekte kan hebben veroorzaakt. Mocht er iets gebeurd zijn in het jaar in de vs – bijvoorbeeld dat ze te veel drugs heeft gebruikt of verkracht is of zoiets – dan heeft ze daar nooit iets over losgelaten, niet tegen Lang en niet tegen mij en ook niet tegen haar therapeuten. Met het gezin was ook niet echt iets mis, hoewel Christels en Stig-Olofs beperkingen steeds evidenter werden, die winter dat het steeds slechter ging met Estelle. Christel reageerde, zoals ik al schreef, met een frenetieke en hardvochtige hyperactiviteit, terwijl Stig-Olof zich nu helemaal terugtrok. Hij kon niet aanzien hoe zijn mooie dochter van gedaante veranderde en er verwaarloosd en lelijk uitzag, en hij was ook niet in staat zijn vrouw aan te pakken, hoewel hij moet hebben gezien dat Christels bemoeienis de situatie alleen maar erger maakte. Op Petersgatan stond

Stig-Olofs bureau in een klein kamertje naast de woonkamer, slechts daarvan afgescheiden door een dunne glazen deur, en daar konden we hem zien zitten, in een wit overhemd, de mouwen opgestroopt, verschanst achter een dikke stapel rechtbankverslagen en met zijn pijp smeulend in de asbak op tafel. Op een ijskoude avond in januari, een paar dagen voordat Estelle verdween, zag ik Lang bij zijn vader naar binnen gaan, en ik hoorde hem zeggen dat Stig-Olof moest ingrijpen, dat het zijn plicht als vader was ervoor te zorgen dat Christel Estelle met rust liet en dat Estelle hulp kreeg. Ik stond in hun halletje, ik had mijn jas aangetrokken en stond op het punt te vertrekken, en ik zag Stig-Olofs blik eerst immens moe worden en vervolgens leeg en afwijzend, en daarna zag ik hem opstaan van zijn plaats en naar het raam lopen; daar stond hij en keek uit over de ijzige en besneeuwde Petersgatan, met zijn rug naar de kamer, en met een klein stemmetje zei hij tegen Lang: 'Ik weet niet wat ik moet doen.'

Het meeste van wat ik hier heb verteld, en meer nog, zou Lang aan Sarita vertellen tijdens een paar heldere maar winderige lentedagen toen ze eerst Estelle bezochten en vervolgens onderdoken in een hotel in een kleine stad ergens in het midden van het land.

II

Het is een kille ochtend in het midden van april wanneer Lang en Sarita hun gezamenlijke koffer in de kofferbak van de Celica gooien en de reis naar het noorden aanvaarden. Een paar weken eerder, op een milde en mooie zaterdagavond, had Lang een telefoontje gekregen. Hij had opgenomen en een nog steeds energieke stem horen zeggen: 'Hallo, met mama. Estelle is helaas weer ziek.' Lang was met zijn mobiele telefoon in de hand blijven staan. Hij had door het raam naar buiten gekeken en gezien dat de onbekende tv-kijker met de uitgestrekte benen en blote voeten op zijn post zat aan de overkant van de binnenplaats, en hij had omhooggekeken en de lichte en glinsterende schemerlucht waargenomen. Na een poosje had Sarita hem gevraagd wat er aan de hand was. Lang had eerst niet geantwoord, maar later die avond had hij verteld dat zijn zuster ziek was en dat hij haar jaren niet had gezien. 'Mijn hemel, waarom heb je nooit iets gezegd!' had Sarita uitgeroepen, en toen had Lang haar wat meer verteld over Estelle en haar ziektegeschiedenis. En Sarita had geen seconde getwijfeld. 'We gaan erheen!' had ze gezegd. 'We nemen een paar dagen vrij en dan gaan we bij haar op bezoek. En daarna gaan we een paar dagen romantisch in een hotelletje ergens in een stad waar nog sneeuw ligt! Ik zal Kirsi bellen om te vragen of ze voor Miro kan zorgen. En als zij niet kan, dan kan hij vast wel een paar dagen bij Marko's moeder.'

Voordat ze vertrekken, vult Lang de voorraad cd's in de Celica aan. De Celica was een echtscheidingsauto, een fopspeen die Lang had aangeschaft toen hij doorkreeg welke kant het opging met zijn tweede poging tot echtelijk geluk, en er zat een cd-speler in die gevuld kon worden met tien cd's, die je naar keuze kon afspelen.

Onder het rijden vertelt Lang Sarita over zijn familie. Hij zet 'Kind Of Blue' op en vertelt dat Stig-Olof heel erg van Miles Davis hield. Daarna speelt hij Bowies 'Pin-ups' en 'Aladdin Sane' en vertelt dat 'Sorrow' en 'Lady Grinning Soul' Estelles lievelingsnummers waren. Want nu wil hij opeens dat Sarita het zal weten: hij wil dat ze zal begrijpen wie Estelle ooit was, want de Estelle die ze nu gaan ontmoeten is heel iemand anders. 'Was Estelle mooi?' vraagt Sarita, 'was ze *the prettiest star?'* 'Ja, ze was mooi,' antwoordt Lang, 'maar dat is ze nu niet meer.' Dan rijden ze door Tavastkyro en zuidelijk Österbotten binnen, en Lang speelt zijn muziek en trommelt op het stuur en soms zingt hij mee met het refrein, maar hij is opgehouden te vertellen. Ze drinken koffie bij een tankstation in Koskenkorva, en als ze weer in de auto stappen, vraagt Sarita: 'Heb je niets van, laten we zeggen, na 1990?' 'Zoals?' vraagt Lang verbaasd. 'Maakt niet uit', zegt Sarita. 'Manu Chao bijvoorbeeld. Of Alanis of Ultra Bra of Björk. Het mag koud klinken of boos of wat dan ook, als het maar niet zo triest klinkt.'

's Avonds, tegen achten, komen ze aan in het stadje waar ze zullen overnachten. Lang heeft een kamer in het Stadshotel geboekt. Hij ziet dat de jonge vrouw aan de receptie even schrikt wanneer ze hem herkent en dat ze iets wil zeggen, over *Het Blauwe Uur* waarschijnlijk. Maar ze weerstaat de impuls en blijft vriendelijk op een koele en professionele manier, alsof Lang en Sarita het eerste het beste liefdespaar zijn. Wanneer ze uitgepakt hebben, dineren ze in het hotelrestaurant. Ouderwets eten: kreeftensoep en gekookte baars met garnalensaus voor Lang, biefstuk met uien voor Sarita. Ze zijn de enige gasten en Lang zit maar een beetje in zijn eten te prikken, hij zegt dat hij zich niet lekker voelt, hij weet niet waarom maar hij voelt zich echt niet goed. 's Nachts is hij nog steeds gespannen maar hij wil toch vrijen; hij zegt dat hij zich beter zal gaan voelen als Sarita hem aanraakt en hij haar. Later, vlak voordat ze in slaap vallen, liggen ze ineengestrengeld, Sarita's hoofd rust op zijn schouder en ze speelt met zijn borstharen en zegt: 'Weet je dat je nergens naar ruikt? Je bent De Reukloze Man. Vind je dat trouwens geen mooie titel voor een boek? Schrijf een boek dat zo heet, Lang. Ik garandeer je dat het een succes wordt.' En Lang antwoordt, slaperig: 'Ik weet niet of ik nog wel boeken wil schrijven. En ik weet ook niet of ik *Het Blauwe Uur* nog wel wil presenteren. Ik wil leven.'

Lang en Sarita ontbeten vroeg en reden vervolgens naar het ziekenhuis. Het was ruim honderd kilometer, en onderweg passeerden ze veel kleine steden met een eigen stadshotel. Lang had het zo gewild: wanneer ze te dicht bij Estelle in de buurt logeerden, had hij gezegd, zou hij haar niet uit zijn gedachten kunnen zetten de dagen dat ze samen zouden zijn, Sarita en hij. Ze reden door een naakt en stakerig lentelandschap, hier en daar lag nog sneeuw in snel smeltende hoopjes. Het waaide hard, op de lange rechte stukken schudde de auto in de wind, en boven in het weidse en ijzige blauw joegen de mooiweerswolken rusteloos voort als enorme, witte schepen.

De met steenslag verharde oprijlaan was nat en modderig, maar het ziekenhuis zelf was prachtig gelegen in een park. Het hoofdgebouw was omgeven door hoge sparren en een paar stevige, winternaakte eiken. Bij de informatiebalie verwees een vriendelijk meisje hen naar de dependance. Dat was een laag, zakelijk modern gebouw van witte baksteen, en binnen, op de gang van de afdeling, troffen ze Estelle aan. Ze liep zachtjes mompelend door de gang heen en weer, met een jas aan en een muts op hoewel ze binnenshuis was. Lang en Estelle kregen elkaar tegelijk in de gaten. Ze bleven allebei staan en keken verlegen. Het was Estelle die de impasse doorbrak: 'Hallo, Christian,' zei ze toonloos, 'ik verwachtte je.' Lang aarzelde een paar seconden, toen liep hij naar haar toe en omhelsde haar; het voelde, zou hij zich later herinneren, alsof Estelle krom was geworden, alsof ze gekrompen was sinds hij haar voor het laatst had gezien. Ze was ook dik geworden en haar contouren waren als het ware opgelost door al het medicijngebruik, en in een later stadium – dat was toen ik over de telefoon vroeg of hij vond dat ik bij haar langs moest gaan – zou Lang tegen me zeggen: 'Ik vind niet dat je dat moet doen, Konni. Ik denk niet dat je het aankunt.'

Toen Sarita Estelle begroette, stak ze haar hand uit en ze zei 'Saríta', met de Zweedse uitspraak in plaats van het korte 'Sá-ri-ta' dat ze zelf altijd gebruikte. De rest van de middag sprak ze Zweeds, zowel met Estelle als met Lang, en het viel hem op dat haar schoolzweeds heel goed was. Maar in het begin zeiden ze geen van drieën een woord: ze liepen het ene rondje na het andere door het park, ze liepen over het goed onderhouden maar nog hard bevroren grindpad en zwegen, alledrie. Toen verbrak Sarita de stilte. Ze keek omhoog en zei: 'De lucht is vandaag zo blauw dat het bijna pijn doet aan je ogen.' Estelle keek naar haar met ogen zwart als kool in het bleke gezicht, en zei: 'Blauw is de kleur van psychose, wist je dat?' Sarita antwoordde niet maar pakte Estelles arm. Ze liepen lange tijd gearmd. Lang bleef vlak achter hen lopen, tot Sarita zich omdraaide en aan zijn mouw trok, ten teken dat ze allemaal naast elkaar moesten lopen. 'Zal ik je eens wat vertellen, Chrisschjan,' zei Sarita, 'nu ik Estelle en jou samen zie, zie ik hoeveel jullie eigenlijk op elkaar lijken.' Estelle lachte, kort en scherp, en zei: 'Ja, ooit leken we op elkaar. Maar ik ben zo lelijk geworden.' 'Je bent helemaal niet lelijk, Essie,' zei Lang heftig, 'dat moet je niet zeggen.' Estelle keek hem aan en zei toen met haar meest toonloze stem: 'Je hoort toch wel dat ze je Chrisschjan noemt en geen Christian?' 'Ja, en wat dan nog', zei Lang geïrriteerd en hij ging verder met een impulsiviteit die hem zelf verbaasde: 'Ik hou ervan haar mijn naam zo te horen uitspre-

81

ken. Ik hou van alles aan haar.' Sarita drukte zijn hand en ging er vervolgens met Estelle vandoor; ze rende het modderige, grijsgele grasveld op met Estelles hand in de hare, en Estelle volgde haar zonder te protesteren, al bewoog ze zich waggelend en log voort, als een aangeschoten vogel.

Nadat ze hadden geluncht in de kantine van het hoofdgebouw, bezichtigden ze de dependance. Daarna gingen ze naar Estelles kamer, die ze deelde met een jonge vrouw die met verlof naar huis was. Estelle ging op de rand van het bed zitten en boerde. Lang ging voor het raam staan en keek uit over het mooie park. Sarita trok haar wollen trui uit, ging voor de kleine wandspiegel staan en begon haar haar te borstelen met een borstel die ze op Estelles nachtkastje had gevonden. Ze droeg een mouwloze, zwarte jurk tot op haar enkels, met grove zwarte kistjes eronder. 'Je hebt mooie oksels, Sarita', zei Estelle vanaf haar bedrand. 'Dank je, Estelle,' zei Sarita rustig, 'mag ik een paar haarspelden van je lenen?' Estelle knikte zwijgend. Sarita liep door de kamer, pakte een paar haarspelden van het nachtkastje en liep terug naar de spiegel. 'Op de Amerikaanse tv mogen ze helemaal geen blote oksels laten zien,' zei Estelle, 'vooral niet als ze behaard zijn.' 'Waarom niet?' vroeg Sarita. 'Ik weet het niet,' zei Estelle, 'blijkbaar herinneren behaarde oksels de Amerikanen aan de kut van een volwassen vrouw.' Lang keek weg van het park dat baadde in scherp lentelicht en draaide zich om. 'Essie… alsjeblieft…' begon hij, maar Sarita maakte een kalmerend gebaar en hij zweeg. 'Maar die van jou zijn natuurlijk geschoren', vervolgde Estelle met dezelfde zakelijke stem. Sarita antwoordde niet meteen. Ze keerde de spiegel de rug toe – ze had haar haar opgestoken in een slordige knot midden op haar hoofd – en liep naar het bed om Estelles hand te pakken en zei: 'Kom, Essie! Ik heb in het dagverblijf een plank met spelletjes gezien, laten we proberen met z'n drieën een spelletje te doen.'

Vervolgens speelden ze de hele middag scrabble, in het Fins.

Soms mompelde Estelle ongeduldig wanneer ze op haar beurt moest wachten, en af en toe legde ze schuttingwoorden maar vaker nog woorden die volgens Lang absoluut niet bestonden, zoals *oudokki*, wat 'raar mens' zou kunnen betekenen, maar wat een woord was dat Estelle zelf had verzonnen. Lang was in het begin zwijgzaam en van slag, maar Sarita lachte alleen maar en klapte voor alle woordvindingen van Estelle en haar ogen leken Lang te vragen: 'Waarom ook niet?' En langzaamaan ontdooide ook Lang en hij begon te lachen. En toen Lang eindelijk lachte, keek Estelle naar hem met haar zwarte ogen en toen lachte ook zij, een beetje scheef, een beetje grimassend, alsof ze zich niet goed meer wist te herinneren hoe het moest.

12

Lang en Sarita waren pas om tien uur 's avonds terug in hun hotel in de kleine stad. Het was vrijdag, en er werd gedanst in het restaurant. Ze besloten eten en wijn op de kamer te bestellen. Toen het gebracht werd, lagen ze op bed, half uitgekleed, en ze aten belegde warme sneetjes brood en dronken wijn uit de fles en praatten, maar alleen over ditjes en datjes zoals postzegels, kattenrassen en de neiging van de mens alles pas op het laatste moment te doen. Toen ze hun jagerssneetjes op hadden en de borden op de grond hadden gezet, zei Sarita loom: 'Kom Lang, nu wil ik neuken.' Maar Lang rolde op zijn rug, keek omhoog in de witte leegte van het plafond en zei: 'Nog niet, Sarita. Ik wil nog niet.' 'Wat is er?' vroeg ze en ze wurmde voorzichtig zijn overhemd uit zijn broek en begon zijn buik te strelen. 'Niet doen, alsjeblieft', zei Lang zachtjes en hij duwde Sarita's hand opzij. Hij kwam overeind en kuste haar hals. 'Ik weet niet wat er is', zei hij toen en hij voegde er onmiddellijk aan toe: 'Ik voel me blij en verdrietig tegelijk. Beter kan ik het niet uitleggen.' 'Probeer het', moedigde Sarita hem aan. Lang zweeg, de gedachten tuimelden door zijn hoofd. Sarita, die rechtop in bed zat, ging dicht tegen hem aan liggen en sloeg haar arm om zijn middel. 'Ik ben een beetje boos op je', zei Lang. 'Hoezo?' vroeg Sarita en ze klonk oprecht verbaasd. 'Omdat je zei dat Estelle en ik zoveel op elkaar leken', zei Lang. Sarita antwoordde niet meteen; ze bleef heel stil liggen met haar arm om hem heen. 'Je mag me niet censureren,' zei ze toen zachtjes, 'dat heb ik genoeg meegemaakt.' Lang werd overvallen door een schuldgevoel. Hij streelde haar haar en zei: 'Ach, trek je niets aan van wat ik zeg. In feite ben ik alleen maar jaloers. Jaloers en onder de indruk.' Hij zweeg enkele seconden en vervolgde: 'Ik begrijp niet dat je zo goed met Essie overweg kon. Ik begrijp niet dat je zo makkelijk contact met haar kreeg.' 'Zo bijzonder was het niet,' zei Sarita, 'ik had het gevoel dat ik haar begreep. Degenen die doen alsof ze supernormaal zijn, zijn veel moeilijker te begrijpen.' Lang schoot in de lach, een korte en vreugdeloze lach, en op een toon die bitterder was dan hij bedoeld had, zei hij: 'Er is niets waarin ik zoveel energie heb gestopt als in normaal doen.' 'Jij bent Estelle niet', zei Sarita. Ze zei het langzaam en benadrukte iedere lettergreep, en ze voegde eraan toe: 'Maar jullie waren close toen jullie jong waren, is het niet?' Lang antwoordde niet. Sarita vervolgde: 'Ze houdt van je en ze bewondert je, maar ze haat je ook. Jullie zijn zon en maan, jullie twee. Iedere ster heeft zijn zwarte gat.' 'Schei uit!' beet Lang haar geërgerd toe. 'Straks haal je zeker ook je tarotkaarten nog tevoorschijn?' 'Je buikspieren zijn helemaal gespannen,' zei Sarita onaangedaan, 'volgens mij zijn ze dat al de hele dag.' 'En waarom denk je dat?' vroeg Lang, al iets milder gestemd. 'Omdat je hebt geprobeerd te voorkomen dat haar pijn jouw lichaam binnendringt', zei Sarita. 'Sommige mensen doen dat. Ze lijken zo ongeveer alles aan te kunnen, maar op een rationele en afstandelijke manier. Ze hebben een sterk plichtsbesef en ze doorstaan alle crisissen als gespannen, harde bundels.' 'Hou je kop!' zei Lang met gesmoorde stem en hij probeerde de tranen terug te dringen die plotseling in hem opwelden. Sarita had haar hand weer onder zijn overhemd gestoken, hij voelde haar koele, zachte vingers over zijn buik naar zijn borstkas glijden. En eindelijk voelde hij de bevrijding komen, hij voelde hoe hij langzaam begon te ontspannen, de vraag was alleen wat zich het eerst zou openbaren, de tranen of de wellust. Het werd wellust.

Ze bleven twee dagen en drie nachten in de kleine stad. De zaterdag werd net zo zonnig als de vrijdag was geweest, maar ook net zo koud en winderig. Lang en Sarita bleven bijna de hele dag in bed liggen, ze leefden op koude koffie en mineraalwater en op de croissants die de roomservice die ochtend had gebracht. Sarita had nog steeds de gewoonte afwezig te raken zodra ze uitgevrijd waren. Lang beschreef dat ze als het ware 'uittrad' uit de hele situatie: soms lag ze op haar rug en strekte opeens haar voeten naar het plafond en begon fietsbewegingen te maken, soms ging ze met een ruk overeind in bed zitten en begon met haar handen over haar kuiten en scheenbenen te strijken, alsof ze wilde controleren of haar benen soms onthaard moesten worden. Maar meestal stond ze gewoon op en liep naakt door de kamer op de manier die Lang de hele winter onzeker en verlegen had gemaakt. Nu echter was hij niet langer verlegen: hij was dronken van liefde en begeerte en liep net zo naakt en ongegeneerd rond in de kale en onpersoonlijke hotelkamer als zij.

Een aantal keren die dag besloten ze een wandeling te maken langs de smalle rivier die door de stad liep. Maar telkens als ze hadden gedoucht en halfnaakt hun haar zaten te borstelen terwijl ze naar het nieuws op de tv keken, raakte de een toevallig de ander aan of ontmoetten hun blikken elkaar en begonnen ze te kussen, en een halfuur later waren hun lichamen weer warm en bezweet. Pas toen het donker was, gingen ze de stad in: ze aten in het enige Chinese restaurant dat de stad rijk was, zonder zich iets aan te trekken van de verstolen blikken en het gefluister aan de tafeltjes naast hen, en ze keken naar een comedy met Tom Hanks en Meg Ryan in een bioscoop die beneden aan de rivier lag en Grand heette, hoewel hij alles behalve groot was.

Op zondagochtend begon het te sneeuwen. En het was vooral die dag, hun tweede en laatste buiten tijd en ruimte, die Lang zich achteraf zou herinneren: hij zou zich die altijd herinneren als de dag dat Sarita een tipje oplichtte van de sluier over haar leven, en hij luisterde.

Tegen twaalven 's ochtends was de hele stad al bedekt met een fijn laagje poedersneeuw. Lang voelde zich geradbraakt en bevredigd, hij had pijnlijke buikspieren en stelde voor dat ze eindelijk die wandeling langs de rivier zouden gaan maken. Sarita, die voor het raam naar de vallende sneeuw stond te kijken, knikte afwezig. Toen liep ze zwijgend naar de andere kant van de kamer en begon zich in haar bijna knielange, rode leren jas te wringen.

Ze volgden de rivier door het centrum en vervolgens de stad uit. In het begin spraken ze niet veel. De geel- en bruingekalkte huizenrijen van drichoog, die je overal in het centrum zag, verdwenen en maakten plaats voor houten huizen en bakstenen villa's met een eigen tuin. Daarna hield ook de villabebouwing op, en de rivier en de weg ernaast vervolgden in een uitgestrekt wit niets, doorkruisten met sneeuw bedekte akkers, waar geen mens te zien was en waar de monotonie slechts sporadisch doorbroken werd door spaarzaam neergezette boerderijen met hier en daar een schuur.

'Ik ben in dit soort plaatsen opgegroeid', doorbrak Sarita het stilzwijgen. 'Pieksämäki, Riihimäki, Parkano... de mensen denken dat het spannend is wanneer je vader bij de spoorwegen werkt. Ze denken aan fluitende stoomlocomotieven en tedere vaarwels op perrons, zoals in oude zwartwitfilms.' Ze zweeg, en Lang zei: 'Dat klinkt niet alsof je ernaar terugverlangt.' 'Er was op zich niets mis met die plaatsen', zei Sarita. 'Maar er is niets romantisch aan om iedere twee of drie jaar als een buitenstaander op een nieuwe school te komen. Dat is een hel. Zullen we omkeren?' Lang knikte, en ze begonnen terug te lopen naar de stad. Het was harder gaan sneeuwen, en het bosje waar de villabebouwing begon, was ruim een kilometer verderop zichtbaar als een contourloze, donkere schaduw. Ze liepen misschien honderd meter zwijgend verder. Lang zag vanuit zijn ooghoeken dat Sarita stiekem naar hem keek. Toen zei ze: 'Ik wil je vertellen over Marko en mij, Lang. Mag dat?' 'Natuurlijk mag je dat,' zei Lang luchtig, 'dat hoef je toch niet te vragen.' 'Weet je het zeker?' vroeg Sarita. 'Je wordt altijd zo bloednerveus als Miro en ik over Marko praten.' 'Dat word ik helemaal niet,' zei Lang nadrukkelijk, 'dat was alleen in het begin zo.'

'Toen ik naar Helsinki kwam…' begon Sarita, terwijl ze verder ploeterde en de sneeuw rond haar gezicht dwarrelde. En toen vertelde ze tot in details het verhaal waarvan Lang eerder brokstukken had gehoord: hoe haar moeder buitenshuis moest gaan werken zodat het gezin de hoge kosten van levensonderhoud in de stad kon opbrengen; hoe haar vader een verhouding begon met een andere vrouw; hoe hun huis veranderde in een plek waar drie ontwortelde vreemden elkaar soms 's avonds laat tegenkwamen; hoe zij, Sarita, op de middelbare school in de buitenwijk door haar klasgenoten werd buitengesloten; hoe ze begon rond te hangen in cafés en bars in het centrum en slechte vrienden kreeg en verschillende soorten drugs uitprobeerde en met veel verschillende mannen naar bed ging; en hoe Marko vervolgens in haar leven verscheen als een redder in nood, Marko die een jaar ouder was en problemen had met zijn stiefvader Jokke, en die rondzwierf in het leven zonder vaste woonplaats en zonder werk.

'Toen ik Marko leerde kennen, was ik achttien en ik stond op het punt van school gestuurd te worden', zei Sarita en ze haakte haar arm door die van Lang. 'Maar Marko zei dat ik mijn school moest afmaken. Hij was zelf zonder diploma van school gegaan en hij wilde niet dat ik dezelfde fout zou maken als hij. Het was… het is zo moeilijk uit te leggen, maar toen ik Marko leerde kennen, was het alsof ik mijn tweelingbroer had gevonden, maar dan een tweelingbroer die me ook verschrikkelijk geil maakte.' Lang hoorde de geestdrift en intensiteit in

Sarita's stem, en hij voelde de gebruikelijke steek van jaloezie, iedere keer wanneer ze Marko's naam noemde. Hij wilde zijn arm uit de hare losmaken om te demonstreren dat hij kwetsbaar was, maar hij deed het niet. In plaats daarvan luisterde hij onder aandachtig stilzwijgen. 'Ik was zo eenzaam geweest', vervolgde Sarita. 'En Marko en ik raakten zo snel vertrouwd met elkaar. Mijn vader was verhuisd en die eerste herfst woonde Marko bij ons thuis, tot mijn moeder Heikki leerde kennen. Toen wilde Marko niet meer bij ons slapen; hij was bang dat Heikki zou drinken en gewelddadig zou worden, net als Jokke.'

Lang en Sarita hadden het bosje bereikt, en de eerste dwarsstraten met villa's doemden op. Terwijl ze langzaam de stad in wandelden, vertelde Sarita over de winter dat ze eindexamen deed, over hoe ze in het bibliotheekfiliaal in de buitenwijk had zitten leren, over hoe Marko een baan had gekregen in een videotheek, hard trainde op de sportschool en minder rusteloos was dan anders, over hoe ze naar het centrum reisde als ze was uitgeleerd en had gewacht tot Marko klaar was met werken, en over hoe ze hadden rondgedwaald door een winters en stil Helsinki, vaak tot ver in de kleine uurtjes. En terwijl ze dat vertelde, wierp ze Lang een vlugge blik toe en ze zei: 'En dan deden we het in de sneeuw, meestal in een park.' Lang besefte eerst niet wat ze zei, de woorden drongen heel langzaam tot hem door. Maar toen ze waren bezonken, maakte hij zijn arm los uit de hare, keerde zich naar haar toe en vroeg: 'Jullie deden wat!? Jullie deden het met elkaar, buitenshuis, midden in de winter? Midden in Helsinki?' Sarita haalde haar schouders op en zei: 'Waar hadden we het anders moeten doen? Marko wilde niet meer bij ons thuis komen omdat hij bang was voor Heikki. En bij Kati en Jokke thuis konden we ook niet terecht.' Lang voelde hoe zijn wangen begonnen te gloeien en hoe zijn hart sneller sloeg van opwinding en jaloezie. 'Maar hoe...' begon hij, 'ik bedoel, waar deden jullie het? En was het niet

89

kóúd?' 'Ik weet niet meer precies waar,' zei Sarita afwerend, 'het is zó lang geleden.' 'Onzin!' zei Lang droog, 'jouw leven is te kort, daarin bestaat nog geen langgeleden. Vertel op!' Zijn blik ontmoette die van Sarita en hij zag zowel onrust als opwinding in haar ogen. Maar haar stem klonk neutraal en bijna verveeld toen ze zei: 'We hebben het een keer gedaan in een park achter metrostation Sörnäs. Dat weet ik nog omdat ik naderhand hoge koorts kreeg. En een andere keer deden we het op Skatudden, op een speelveldje vlak bij de ijsbrekers.' Ze liepen zwijgend verder. Lang tuurde in het zwarte water van de rivier en probeerde te verwerken wat Sarita had verteld. 'Wees niet jaloers, lieve Chrisschjan,' zei Sarita na een poosje, 'jij bent toch ook weleens bezeten geweest van iemand?' Van jou! van jou! van jou! wilde Lang roepen, maar hij riep helemaal niets. 'Ik weet het eigenlijk niet,' mompelde hij in plaats daarvan, 'misschien van Anni, mijn eerste vrouw. Maar we hebben het nooit op een speelveldje gedaan, dat deden we niet.' Hij zweeg enkele seconden, toen zei hij: 'Dus Miro is verwekt in kou en sneeuw?' Sarita antwoordde niet, maar ze glimlachte triest, helde naar hem over en zei: 'Wil je me vasthouden, liefste?' Lang sloeg zijn arm om haar heen. Ze voelde smal en knokig aan onder haar dunne leren jas. 'Als jullie zo gek op elkaar waren, waarom is het dan verdomme uitgegaan?' kon hij niet nalaten te vragen. 'Ik was pas negentien toen Miro werd geboren,' zei Sarita, 'en Marko was twintig. We hebben het geprobeerd, maar…' ze zweeg heel even en vervolgde toen: 'Marko was te rusteloos. En hij had slechte vrienden. Hij zat in het leger toen Miro geboren werd, daar had hij het goed naar zijn zin. Toen hij uit dienst kwam, hield hij zich een paar maanden rustig. Hij was echt fantastisch met Miro. Maar toen begon hij te verdwijnen. In het begin was het telkens een paar dagen, later werden het weken.' Ze keek naar de grond nu, en Lang zag dat de herinneringen haar pijn deden. Toch vertelde ze verder: 'De dag voordat Miro één zou worden, werd Marko opgepakt voor inbraak en heling. Hij kreeg zeven maanden, en het begon tot me door te dringen dat ik er alleen voor stond. En toen hij vrijkwam, was het allemaal te laat. Ik had me ingeschreven op de universiteit en wilde alleen nog maar studeren en voor Miro zorgen. En Marko, die had zoveel... ideeën.' Ze waren nu bijna bij het hotel, en toen Sarita zweeg, vroeg Lang: 'Wat voor ideeën dan?' 'Marko heeft altijd veel gelezen', antwoordde Sarita. 'Hij leest zowel kranten als boeken, maar hij begrijpt alles op zijn eigen manier. En hij had in de gevangenis iemand leren kennen. Hij had... politieke ideeën opgedaan. Over culturen en religies en zo. Meteen nadat we gescheiden waren, ging hij daarheen.' 'Waarheen?' vroeg Lang. 'Ik begrijp je niet.' 'Daarheen,' herhaalde Sarita onwillig, '...om te vechten.' Lang keek haar verbaasd aan: 'Om te vechten? Bedoel je... naar de Balkan? Naar Bosnië?' 'Ja, volgens mij wel,' zei Sarita, 'of anders was het Kroatië. Maar dat doet er niet toe. Hij was binnen de kortste keren weer terug. Ze... wie dat dan ook waren, wilden hem niet hebben.' 'Maar waarom in godsnaam!' zei Lang geschokt. 'Waarom wil een normale Finse jongen met een klein kind naar... daar begrijp ik niets van!' 'Ik weet het niet', zei Sarita. 'Hij probeerde het me uit te leggen, maar ik wilde niet luisteren. Ik weet alleen dat het hem erg heeft aangegrepen dat ze hem niet wilden. Marko denkt dat hij sterk en onkwetsbaar is, hij begrijpt niet dat veel mensen hem een beetje gestoord vinden.' 'En jij?' vroeg Lang, 'vind jij hem gestoord?' 'Soms', zei Sarita vermoeid. 'Kunnen we nu over iets anders praten? Ik heb verteld wat ik wilde vertellen.'

Die nacht, hun laatste nacht in het hotel in de kleine stad, was Lang het relaas dat de ex-man van zijn geliefde ooit geprobeerd had huursoldaat te worden alweer vergeten. In plaats daarvan was hij bezeten van de gedachte aan het tienermeisje Sarita en Marko samen in de sneeuw, en toen ze in bed lagen, vroeg hij haar terug te denken aan de keer toen Marko en zij het deden in het park in Sörnäs, of aan de keer dat ze de liefde bedreven vlak bij de ijsbrekers. En Sarita was Lang ter wille. Ze vertelde over de wolken die overdreven langs de zwarte winterhemel, ze vertelde over het warme gele licht uit de ramen van de nabij-gelegen appartementen, en vooral vertelde ze over het scherpe contrast tussen de kou onder hen en rondom hen en het vuur en de honger en het vocht in hen en tussen hen, en ze beschreef hoe ze als het ware versmolten, Marko en zij, en tot één enkele vuurbal werden die de kou en de dood trotseerde die overal aanwezig was in de donkere en winderige winterstad. En terwijl ze vertelde, lag Lang dicht tegen haar aan naar haar verhaal te luisteren, en hij hoorde aan haar stem dat ze opge-wonden en warm werd van alle herinneringen en het praten, en hij hoorde en zag dat ze haar handen onder het dekbed had en zichzelf zachtjes streelde, en toen, beschreef Lang veel later voor mij, werd hij gegrepen door een wellust die bezeten en wild was, die moeilijker te bedwingen was dan alle hartstocht die hij ooit eerder had gekend, en die, zei hij, bijna onwaar-schijnlijk was, aangezien ze al twee dagen lang gevrijd en ge-vrijd en nog eens gevrijd hadden, en opeens had hij het dekbed weggerukt en dook hij op haar en ze ontving hem zonder aarzeling. Later herinnerde hij zich alleen dat ze haar benen naar het plafond had geheven en ze zo wijd mogelijk had gespreid en dat hij haar hoorde roepen 'Kom! Kom!' en het merkwaardige was, zei Lang tegen mij, dat hij zich op dat moment absoluut niet belachelijk voelde, maar hij bestónd en hij lééfde en hij vervúlde haar echt, en de mogelijkheid kwam niet in hem op dat ze daar misschien onder hem lag te kreunen en schreeuwen en tegelijk uit het raam naar de sneeuwvlokken keek, die over de kleine stad vielen en glansden wanneer ze de lichtkegels van de straatlantaarns passeerden.

13

Nog een laatste keer wil ik u meenemen naar de tienerjaren van Lang en mij, voordat ik het verhaal zijn onverbiddelijke loop laat hebben. Ik weet niet waarom ik het doe, maar ik kan niet anders, en ik weet dat Lang schamper zou lachen en zeggen dat ik rondwaad in mijn eigen waandenkbeelden als in dikke stroop. Hij zou zeggen dat de wereld waarin hij en ik zijn opgegroeid een spookwereld is, een verre luchtspiegeling die geen enkel raakvlak heeft met de wereld van nu, en daarom ook niet met de mensen die we in de loop der jaren geworden zijn. Maar ik denk dat Lang ongelijk heeft, en dat de filosofen gelijk hebben wanneer ze zeggen dat het lot van ieder mens geworteld is in de tijd waarin hij leeft. En hoewel ik weet dat hij heftig zou protesteren en beweren dat ik projecteer, dat ik het over mezelf en niet over hem heb, wil ik beweren dat Lang juist daarvan het slachtoffer is geworden. Hij begreep bijvoorbeeld niet hoe diep de kloof was tussen Sarita's in wezen indolente en passieve levenshouding en zijn eigen dwangmatigheid om te slagen en te overwinnen. En belangrijker nog: hij heeft nooit de afgrond gezien die zich opende tussen zijn eigen vertwijfeling en die van Marko. Langs wanhoop ging in feite over de angst voor het ouder worden, dat al je ervaring wordt afgedaan als waardeloos, een angst die iedere volwassen westerse man tegenwoordig met zich mee draagt. Maar Marko's vertwijfeling ging over iets anders, die zat dieper, was wilder en meer absoluut en daarom ook gevaarlijker. En ik, die Lang gekend heb sinds onze kindertijd, vraag me af of hij echt zo blind was voor de signalen als hij leek te zijn. Misschien zag hij het gevaar de hele tijd, maar wilde hij er desondanks mee doorgaan? En dan

werpt zich meteen de volgende vraag op: begreep of vermoedde Lang überhaupt de diepte in zijn eigen duisternis?
Of begreep hij het pas toen het al te laat was, begreep hij het pas
die nacht toen hij mij lijkbleek en trillend oppikte in zijn
Celica op Tölö Torg?

Het eiland van de familie Lang lag aan de buitenste rand van de
scherenkust, aan de zuidkant van een uitgestrekt, vaak winderig en ruw stuk open zee. Het eiland bestond uit hoge klippen
en was ontoegankelijk; onder Langs vrienden kreeg het de
speelse bijnaam Alcatraz. In onze late tienerjaren, toen de
gezondheid van Stig-Olof al te wensen overliet en hij en
Christel grote delen van de zomer in de stad doorbrachten,
nodigde Lang er vaak vrienden uit. Soms waren het grote
feesten met voor de helft meisjes en voor de helft jongens,
soms was het alleen de kring van zijn beste, mannelijke vrienden die bij elkaar kwam om 's nachts te drinken en overdag te
zwemmen en te zeilen met de jol. Zelf had ik Alcatraz sinds
mijn elfde iedere zomer bezocht en ik had het er naar mijn zin,
hoewel het er, vooral bij slecht weer, angstaanjagend kon zijn.
In die tijd, tijdens de middelbareschooljaren, dacht ik trouwens dat ik Lang heel na stond, en ik was dan ook totaal
onvoorbereid toen Alcatraz het toneel werd van een van de
grootste vernederingen uit mijn jeugd.

   Het was de zomer dat Lang en ik zeventien waren, een paar
weken voordat Estelle thuis zou komen uit Amerika. Lang had
de metamorfose die ik eerder beschreef al achter de rug: van
succesvol maar verlegen en teruggetrokken was hij plotseling
zelfverzekerd en arrogant geworden op een verkeerde en soms
tamelijk wrede manier. We waren niet met een grote groep, dat
weekend. Het was de kring van goede vrienden en de meisjes
van de jongens die verkering hadden; Lang noch ik had vaste
verkering op dat moment. We dronken veel, dat deden we
altijd, maar die eerste dag was de sfeer goed. Zaterdag aan het

eind van de middag bedacht Lang dat we de draagbare bar-becue, voedsel en drank zouden meenemen naar een klein zandstrandje aan de zuidkant van het eiland, omringd door steile rotsen. Het waaide hard vanuit zee, het water had een groenglanzend, driftig kleurtje en hoewel er geen wolkje aan de lucht was, was het zo fris dat niemand wilde zwemmen. In plaats daarvan maakten we een vuur waar we omheen gingen zitten. En misschien waren het juist de kou en de toenemende mismoedigheid onder de gasten die bewerkstelligden wat er kort na zonsondergang gebeurde. Lang pakte twee stenen van de grond en sloeg ze tegen elkaar, en toen hij alle aandacht had, begon hij te praten. Hoewel er meer dan een kwarteeuw verstreken is, kan ik mij nog steeds letterlijk herinneren hoe hij begon: 'Zoals jullie allemaal weten, komt mijn zus over een paar weken thuis. En jullie moeten weten dat niet alleen ik op haar zit te wachten, maar er is nog iemand…'

Wat Lang deed, was onbegrijpelijk, en dat is het nog steeds. Hij vertelde met een retorisch vuur, dat groter werd naarmate hij verderging, en dat zijn toekomstige, beste momenten als presentator van *Het Blauwe Uur* inluidde. Hij vertelde over mijn jarenlange verliefdheid op afstand op zijn zus. En hij vertelde het nauwgezet. Ik zat toevallig een stukje bij de anderen vandaan, en terwijl ik probeerde mijn blik te richten op de zee of in het vuur en een onverschillige indruk te maken, kwam hij met steeds pijnlijker details. Toen hij vertelde over de avond een jaar geleden dat we naar Estelles kont hadden gekeken terwijl ze zat te plassen, schreeuwde ik tegen hem met een stem die ik probeerde zo mannelijk hees en dreigend mogelijk te laten klinken: 'Nu hou je op, anders sla ik je op je bek!' Lang keek me hooghartig aan, zijn ogen glansden in de gloed van het vuur en hij zei: 'Probeer het eens, Konni. Je kunt het altijd proberen.' Toen richtte hij zijn blik weer op zijn publiek en maakte zich op voor de genadestoot.

Een paar maanden eerder, op een zaterdag in mei, waren we

met een paar man bij Lang thuis op Petersgatan geweest. Stig-Olof en Christel waren voor de verandering op Alcatraz, en we zaten met z'n vijven of zessen de hele nacht stevig te zuipen. We werden ontzettend dronken, de lentenacht was licht en prikkelend, en op een bepaald moment liet Lang me een fotoalbum zien met foto's van Estelle waarop ze topless lag te zonnen. Even later pakte ik – ongemerkt, probeerde ik mezelf wijs te maken, maar ik zag best die vlugge blik van Lang vanuit zijn ooghoek in mijn richting – het album en ging naar de badkamer en deed de deur achter me op slot. En dat was nog niet alles: voordat ik de badkamer uit sloop, maakte ik een van de foto's van Estelle los en liet hem in de achterzak van mijn spijkerbroek glijden. Toen ik de volgende ochtend thuis in de buitenwijk wakker werd met de foto van Estelle in mijn zak, brandden mijn wangen van schaamte, maar gedane zaken nemen geen keer. En nu, drie maanden later, in deze augustusnacht, vernederde Lang mij in het bijzijn van zijn vrienden: hij vertelde hoe 'Konni zich de hele zomer had zitten aftrekken terwijl hij naar een foto van Estelle keek.' Ik was sprakeloos, ik probeerde te verhinderen dat de tranen over mijn wangen rolden en was blij dat het inmiddels in ieder geval donker was. Een paar jongens, Langs trouwste volgelingen, die bereid waren zijn schoenen schoon te likken voor het geval hij in de hondenpoep was getrapt, wezen met hun vinger naar mij en lachten luidkeels. Maar de anderen zwegen gegeneerd en tuurden in het zand, en ik hoorde een van de meisjes tegen haar vriendje mompelen: 'Kan hij niet eens ophouden, waar is hij in godsnaam mee bezig?' Toen Lang eindelijk zweeg, keek ik op en probeerde zijn blik te vangen. En ik ving zijn blik, maar er was niemand. Of juister gezegd: achter zijn ogen bevond zich op dat moment iemand anders.

Ik wil Lang niet demoniseren; ik wil het tegenstrijdige in hem blootleggen. Na het gebeurde op Alcatraz bood hij me al de volgende dag zijn excuses aan; hij zag er bleek maar beheerst uit en het was overduidelijk dat het hem diep speet. Toen Estelle was opgeknapt van haar eerste ziekteperiode, werden wij een stel. Ik hield innig van haar, en we zijn bijna zeven jaar samen geweest. Lang heeft nooit aan zijn zus verteld wat ik met het fotoalbum en haar foto heb gedaan, zelfs als hij met mij alleen was, maakte hij niet de geringste toespeling op de kwestie. De laatste zomer op Alcatraz kerfden Lang en zijn vrouw Anni, Estelle en ik onze namen in de rots hoog boven het kleine zandstrandje waar hij mij had vernederd; Johan was net geboren en het was vlak voordat Stig-Olof overleed en Christel het eiland verkocht. Het was in een tijd dat Lang de beminnelijkheid zelve was, een bloedjonge studerende vader die al wel vermoedde welk talent hij bezat, maar die er nog niet door bedorven was. En wat de relatie tussen mij en Estelle betrof, was hij altijd ondersteunend en hulpvaardig tot in het kleinste detail. Hij zag immers dat het Estelle goed ging in die tijd: ze was rustig en energiek, ze studeerde kunstgeschiedenis en zong in een a-capellakwartet, en zelfs de dood van haar vader bracht haar niet uit haar evenwicht. Toen Estelle me een paar jaar later verliet, was ik er in het begin van overtuigd dat ze dat deed omdat ik niet goed genoeg was om in te trouwen in haar en Langs familie; zo'n groot minderwaardigheidscomplex had ik opgelopen door op te groeien in de buurt van mensen zoals zij, mensen die mooier en intelligenter waren en meer levenservaring hadden dan ik. Maar toen ik die mogelijkheid aanstipte tijdens een kroegentocht een halfjaar nadat Estelle voor de tweede keer ziek geworden was, keek Lang me met een trieste blik aan en hij zei: 'En dat zeg je terwijl je in het ziekenhuis bent geweest en hebt gezien hoe ze eraan toe is. Ze wist dat ze weer ziek zou worden, ze voelde het aankomen en wilde jou bevrijden van de verantwoordelijkheid, begrijp je wel?'

Toen Lang mijn eerste, ruwe versie van het verhaal had gelezen, bezocht ik hem in de gevangenis. We maakten ruzie, of liever gezegd: Lang was woedend. Hij gooide de stapel papier in de lucht en liet de blaadjes op de grond dwarrelen, hij zat niet op zijn stoel maar ijlde rond, rond door de ruimte, en ondertussen schreeuwde hij zo tegen mij dat de bewakers op het punt stonden het bezoek te beëindigen.

Het hoofdstuk dat Lang het meest verafschuwde, hebt u zojuist gelezen; het was in de oorspronkelijke versie precies hetzelfde als in de definitieve. Tijdens onze ontmoeting in de gevangenis noemde hij de link naar onze jeugd 'lijkschennis', en hij beweerde dat ik nog steeds bezeten was van Estelle. Hij vroeg mij ook waarom ik het zo verdomd moeilijk vond hem zijn misstap van die zomer, toen we allebei zeventien waren, te vergeven.

Ook over de rest was hij erg ontevreden. Hij hield niet van de vele directe citaten, en hij vond mijn beschrijving van de loop der gebeurtenissen onbeholpen en lomp. Bovendien, meende Lang, was ik van het begin af aan veel te gefixeerd op Marko en zwakte ik daardoor ten onrechte alle vrijheid en warmte en begeerte af die er geweest waren in het eerste jaar dat hij en Sarita samen waren. 'Ik heb je gevraagd een liefdesverhaal te schrijven, geen misdaadverhaal!' schreeuwde hij, en ik antwoordde: 'Het spijt me, maar voor mij versmelten ze met elkaar.'

Lang en ik zijn, zoals ik al eerder heb geconstateerd, verschillend. Ik geef toe dat ik me voortdurend schuldig maak aan het najagen van woorden waarvan ik denk dat ze in staat zijn het leven te herscheppen in al zijn glans, in al zijn kleuren en vormen. Lang, met zijn talent, wist altijd al dat je meer effect bereikt wanneer je de woorden ontwijkende, omtrekkende bewegingen laat maken, zodat ze het leven slechts licht aanstippen, suggereren.

Ik neem Lang zijn woede niet kwalijk. En toch heb ik van het begin af aan mijn best gedaan, zozeer zelfs dat het soms voelde alsof ik het niet zelf was die schreef, alsof ik met andere woorden schreef dan de mijne, in een ander ritme dan mijn eigen.

Ik kan het net zo goed nu al zeggen: Lang heeft het contact met mij verbroken. Dit is dus een niet-geautoriseerd verhaal.

14

De weken na het weekend in de kleine stad was Lang – en dit zijn zijn eigen woorden, hoe dan ook banaal, en zeker voor een gezworen literair avant-gardist – 'in de zevende hemel'. Hij dagdroomde erover dat hij en Sarita echt zouden gaan samenwonen en hij ging zelfs zo ver dat hij haar meevroeg om een groot appartement te bezichtigen in een luxe nieuwbouwcomplex aan Merikantovägen in Tölö. Maar Sarita had moeilijk gekeken en haar hoofd geschud, en het eind van het liedje was dat Lang zijn keuken en woonkamer aan Skarpskyttegatan opnieuw liet schilderen en inrichten. Tijdens de renovatie woonde hij permanent bij Sarita, en op een dag zei hij tegen haar: 'Als Skarpskyttegatan klaar is, kunnen we het hier laten opknappen, kijk eens hoe het plafond bladdert, we kunnen het laten schilderen en de kamers lichter maken…' 'Ho even,' zei Sarita, 'vergeet je niet iets?' 'Wat dan?' vroeg Lang, die inmiddels gewend was aan de plotse manier waarop ze afstand kon scheppen, 'dat dit appartement niet van mij is, bedoel je?' 'Nee, dat het niet van míj is', zei Sarita droog. 'Het is van een vriend van Marko.' 'Nou, dan bel je die toch om te vragen of het goed is!' zei Lang voortvarend. 'Hij mag blij zijn, verdomme, dan stijgt het toch in waarde.' 'Ik heb geen geld', zei Sarita kort. 'Dat maakt niet uit,' zei Lang, 'ik betaal wel.' 'IK HEB GEEN GELD!' herhaalde Sarita, nu met vlijmscherpe stem.

De eerste zomer samen van Lang en Sarita was mooi en warm. Achteraf zou Lang zich juni en juli herinneren als lange, lichte maanden: stoffige dagen met lome gesprekken en uitstapjes naar het zwembad en Borgbacken met Miro, eindeloze nachten met de zoute en zanderige geur van Sarita's bruingebrande huid en haar stimulerende liefdeskreten die door de witte nacht sneden.

Op een avond had Lang met Sarita en Miro afgesproken in het Sibeliuspark. Lang was laat, ze waren er al; Miro rende tussen de boomstammen en speelde tikkertje met een ander jongetje en Sarita zat op een groen geschilderd parkbankje *Het dagboek van Bridget Jones* te lezen. Het licht sijpelde door de takken van de berken en door haar donkere haar, dat die zomer gesierd werd door een vuurrode streng die bij haar kruin begon en over haar voorhoofd viel. Ze was gekleed in een lichte blouse met een brede kraag, zwarte slacks en dure sportschoenen van Union Five, en ze was zo verdiept in haar boek dat ze zich wild schrok toen Lang haar besloop en kuste. Daarna bleef ze de hele avond chagrijnig: toen Lang haar plaagde dat ze met Bridget Jones in het park zat in plaats van met een van de romans van McEwan, Oates en Snellman die op de grond naast haar bed lagen te wachten, brieste ze dat alleen huichelaars zoals hij de wereld probeerden te laten geloven dat ze te goed waren voor een beetje verstrooiing op z'n tijd.

En er was een andere avond, een avond nadat Lang bijna een week op reis was geweest en Sarita had uitgenodigd in een duur restaurant in het centrum. Aan de tafels naast hen zaten uitsluitend maatpakken en getailleerde japonnen, en tussen de pakken zat een van de opmerkelijkste Finse ministers. Opeens schoof Sarita haar stoel naar achteren en leunde achterover, ze trok haar dunne zomerblouse tot ver boven haar buik omhoog om Lang een klein, glinsterend, zilveren sieraad te laten zien dat ze tijdens zijn afwezigheid in haar diepe navel had laten zetten. Lang keek naar het sieraad en naar Sarita's bruingebrande huid, en vanuit zijn ooghoeken zag hij dat ook de minister aan het tafeltje naast hen naar Sarita's blote buik staarde, met ogen die van begeerte zo groot waren als schoteltjes.

En dan was er ook nog de nacht dat Miro mee was naar het zomerhuisje van Sarita's moeder en haar nieuwe man Heikki in Virdois, en Sarita en Lang drie flessen wijn dronken in een café in Västra Hamnen en in Langs gerenoveerde appartement overnachtten. Toen ze in zijn bed rolden, herinnerde Lang zich opeens die eerste nacht, toen ze uren hadden gepraat en Sarita op zijn bank in slaap was gevallen en hij in het ochtendgloren naar haar had zitten kijken en zich had afgevraagd of hij haar ooit zou mogen aanraken. Nu lag ze met zijn stijve penis in haar hand en speelde ermee als met een privé-talisman, alsof alles vanaf het begin vanzelfsprekend was geweest. Opeens begon ze zachtjes te lachen en Lang vroeg: 'Wat is er? Waar lach je om?' 'Het is zo absurd,' zei Sarita, 'hij pulseert zo, hij zit zo vol leven en toch is hij er straks niet meer.' 'Hoezo stráks,' zei Lang dronken en verontwaardigd, terwijl hij voelde hoe zijn erectie in haar hand begon te verslappen, 'zo verdomd oud ben ik nou ook weer niet!' 'Ik bedoelde in een eeuwigheidsperspectief', zei Sarita sussend, maar het kwaad was al geschied. Lang ging op zijn zij liggen en rolde zich op zodat Sarita zijn lid moest loslaten, en toen mopperde hij: 'Die eeuwigheidsperspectieven kun je me besparen! Ik vind het vreselijk als je zulke dingen zegt. Dat háát ik!' Sarita ging rechtop in bed zitten, boog zich naar voren en liet het puntje van haar tong in Langs oor spelen. 'Je bent eigenlijk een nogal katachtige man, Lang,' zei ze, 'ik kan me absoluut niet voorstellen dat jij een airedaleterriër uitlaat.' Lang liet zich meteen vermurwen, draaide zich op zijn rug, streelde haar borsten en vroeg: 'Is dat erg?' Sarita antwoordde niet op zijn vraag, ze zei alleen: 'Ga door. Niet ophouden.' 'Een katachtige man, is dat erg?' herhaalde Lang. 'Nee hoor,' zei Sarita en ze begon al zwaarder te ademen, 'dat is best… aantrekkelijk.' Lang keek naar Sarita's silhouet daar boven hem in het halfduister. Hij voelde hoe hij overmand werd door een grote, duizelingwekkende liefde voor het leven, en hij voelde opeens de behoefte te biechten, meedogenloos eerlijk te zijn. 'Een man weet nooit waar de grens ligt', zei hij terwijl hij haar bleef strelen. 'Het ene moment is hij erotisch of katachtig of iets anders moois, en het volgende moment heeft hij de grens overschreden en is veranderd in een zwijn. Het is moeilijk om jezelf te durven zijn, en hoe meer de jaren verstrijken des te moeilijker het wordt.' Sarita antwoordde niet meteen. Ze vouwde haar hand om zijn lid, dat omhooggekomen was, alweer vergeten dat het ooit tot stof zou worden, en toen zei ze: 'Mijn domme Lang. Mijn domme, domme Lang.'

Eind juli van dat jaar verliet ik het zomerhuisje van Gabi en mij aan de scherenkust bij Ekenäs en reed naar Helsinki: ik had een afspraak met mijn uitgever, en ik zou de drukproeven corrigeren van de Duitse vertaling van een essay van mijn hand over beschrijvingen van buitenwijken in de moderne Finse literatuur. Op de avond van de tweede dag liep ik Lang en Sarita tegen het lijf bij de tennisbanen in Edesviken. Dat was de enige keer dat ik ze samen heb gezien in al die tijd dat hun verhouding duurde. Lang droeg een zonnebril met een dun, goudkleurig montuur, zijn al enigszins grijzende haar was met gel achterover gekamd – dit waren de simpele 'vermommingen' die hij gebruikte wanneer hij zich vrij in Helsinki wilde bewegen zonder herkend te worden – en hij zag er schaamteloos goed uit, bruinverbrand en in goede conditie. Ik kon het niet laten hem te vergelijken met het nerveuze wrak dat Gabi en mij twee jaar eerder in juli in ons zomerhuisje had bezocht, de hologige Lang die te zwaar was en aan één stuk door zwarte cigarillo's rookte en die iedere tien minuten op zijn horloge keek en dwangmatig ieder heel uur naar het nieuws moest luisteren op onze oude transistorradio.

We dronken samen een paar biertjes, en als ik me niet vergis, was dat op een klein terras aan de stoffige Michelingatan. Lang en ik hadden elkaar al langer dan een jaar niet gezien, en we praatten over triviale en alledaagse dingen, over hoe het ging met badminton en over welke collega's die herfst met een nieuw boek zouden komen en zo. Sarita zei niet veel, maar ik zag dat ze ons gesprek nauwlettend volgde; in een van de brieven uit de gevangenis bekende Lang, ongetwijfeld met een scheve glimlach rond zijn mond, dat hij later op die avond aan Sarita had verteld over onze lange vriendschap en over mijn relatie met Estelle, en dat hij mij had beschreven als 'een geschikte kerel en trouwe vriend, maar ook een middelmatig mens die makkelijk jaloers wordt wanneer hij een echt talent tegen het lijf loopt.'

Halverwege het derde en laatste flesje bier verontschuldigde Sarita zich en ging in het restaurant op zoek naar een toilet, en toen kon Lang zich niet langer beheersen. 'Is ze niet…?' vroeg hij en hij keek Sarita veelbetekenend na terwijl ze wegliep. Ik knikte bevestigend. Lang keek me opeens ernstig aan en zei: 'Ik ben altijd arm geweest aan liefde. De kleine voorraad die ik had, heb ik opgesoupeerd toen ik jong was, met Anni en Johan. Dat dacht ik tenminste, tot nu.' Vervolgens glimlachte hij een beetje weemoedig en vroeg: 'Heb je zin in een citaat?' 'Altijd', antwoordde ik. Lang en ik hadden sinds de middelbare school geprobeerd elkaar te overtroeven met moeilijke literaire citaten, en ik was de eeuwige tweede. '"*I wouldn't want my youth back*"', zei Lang langzaam, en hij vervolgde: '"*Not with the fire in me now.*"' '"*Haven't got the faintest*"', zei ik na een paar seconden te hebben nagedacht en ik schudde mijn hoofd. 'Beckett', zei Lang tevreden. 'Ken je klassiekers, Konni, daarin ligt de wijsheid.'

De tweede woensdag in augustus was een hete en drukkende dag. Lang zou de eerste uitzending van het seizoen van *Het Blauwe Uur* opnemen en vervolgens naar Kuopio vliegen om te voetballen in een vip-team samen met de barkeeper en ex-zanger Vekku, toneelspeler Suosalo, de schrijvers Hotakainen en Raittila, nieuwslezer Lind en vele anderen. Hij zou tot zondag in Kuopio blijven, was de bedoeling. Maar vlak voor de opname, toen Lang de trap af rende naar de kantine om een broodje te eten en iets te drinken, verstuikte hij lelijk zijn voet. De opname werd een uur uitgesteld, maar nadat een opgeroepen dokter Langs voet had gezwachteld en hem een paar pijnstillers had gegeven, kon Lang het programma bijna als anders uitvoeren; alleen zijn afsluitende stand-up moest worden geschrapt.

Direct na het ongeluk had Lang de wedstrijdleider gebeld om af te zeggen: overmacht. Vervolgens had hij besloten Sarita te verrassen. Miro was nog steeds bij zijn oma in Virdois, en Lang zag al een romantisch avondje voor zich met kaarsen en een of andere kruidige schotel met een lekkere rode wijn erbij. Toen de opname gereed was, hinkte hij naar de parkeergarage, reed van Östra Böle richting Tölö en vervolgens het centrum in. Hij kocht eten en wijn bij Stockmann en reed naar Berghäll, parkeerde de Celica aan Åstorget en strompelde langzaam de twee blokken naar Sarita's huis. Toen de lift een paar verdiepingen gestegen was, hoorde hij geluid: indringende stemmen. Lang dacht even vol medelijden aan het jonge stel op de vierde etage met de pasgeboren baby en het minnaressenprobleem, en bedacht vervolgens hoe heerlijk het was dat hij zich een stuk in de kraag kon drinken in plaats van zich rot te rennen op een voetbalveld. Maar de lift passeerde de vierde verdieping, en daar was alles stil en rustig; de stemmen werden daarentegen steeds duidelijker hoorbaar, hoe hoger hij kwam. Toch was het pas toen Lang de liftdeur opendeed en de lift uit stapte en de zware plastic tassen had neergezet om de sleutel te pakken, dat hij besefte wát hij hoorde, en dat de geluiden uit Sarita's appartement kwamen. Toen hij dat doorhad, bleef hij als aan de grond genageld staan. De geluiden baanden zich een weg het appartement uit en weerkaatsten meedogenloos in het lege trappenhuis, ze weerkaatsten in zijn hoofd, ja, zijn hele leven weerkaatste opeens zo leeg en verlaten, alsof Lang altijd op de bodem van een put had geleefd en dat nu pas begreep. Hij voelde hoe hij zijn lichaam verliet, hoe hij veranderde in een naakt en messcherp bewustzijn dat volkomen roerloos luisterde naar de merkwaardige mengeling van instemming en afwijzing en ongeremd gegraai daar achter de deur. 'Ja! JA!' hoorde hij Sarita hijgen, maar het volgende moment kreunde ze met een half smekende, half bevelende stem: 'Nee... nee!... niet doen! Niet zo! NIET ZO!' terwijl de man daarbinnen een zacht gegrom en gekreun en korte zinnetjes uitstootte, onverstaanbaar voor Lang, die als een zoutpilaar stond te luisteren naar Sarita's wilde geschreeuw. Opeens merkte Lang dat hij een erectie had, dat hij ongelooflijk geil was, en dat was, verklaarde hij toen hij mij die avond beschreef, misschien wel het meest vernederende van alles, dat hij tijdens die ongehoorde vernedering opgewonden raakte van hun stemmen en het doffe gebonk tegen de muren en het gedempte gekraak van Sarita's bed, en tegelijkertijd niet kon nalaten om zoals altijd afstand te nemen en te *analyseren*: hij bedacht dat zijn ogen, net als die van anderen, misschien afgestompt waren geraakt, gehard en vermoeid van de enorme uitstalling in de afgelopen decennia van naakte jonge lichamen, zozeer dat wat er nog over was, wat nog verlokte en boeide, was andere mensen te hóren liefhebben, ze te horen maar niet te zien.

Uiteindelijk ontwaakte Lang dan toch uit zijn verdoving, want de storm daarbinnen leek maar niet te luwen. Het doffe gebonk werd steeds heftiger en Sarita's merkwaardige mengeling van instemming en afwijzing was geïntensiveerd tot een continu gelispel, het was alsof ze in tongen sprak en ze naderde het hoogtepunt, dat kon Lang horen en hij werd eindelijk overmand door woede. 'Verdomme! GODVERDOMME!' siste hij tussen zijn tanden. Hij haalde de sleutel tevoorschijn, stak hem in het slot, draaide hem om en duwde de deur open, die hooguit tien centimeter meegaf voordat de veiligheidsketting weerstand bood. Door de plotselinge, onverbiddelijke weerstand verloor Lang de grip op de sleutel en de deur viel met een luide knal terug in het slot. Het werd doodstil binnen. Het was net zo stil op de trap. Lang werd zich opeens bewust van het warme zonlicht dat het trappenhuis binnen stroomde door de glazen deuren van het bovenste balkon. Hij hoorde het zwakke verkeersrumoer van Helsingegatan. Hij vroeg zich af waarom ze de veiligheidsketting erop hadden gedaan, als Miro uit logeren was en Sarita zeker wist dat hij, Lang, het middagvliegtuig naar Kuopio zou nemen. Hij voelde de sleutel in zijn zweterige hand en opende de deur nogmaals, zo ver mogelijk, en riep met woede en wanhoop in zijn stem: 'Waar ben je verdomme mee bezig, Sarita! Doe open! DOE OPEN!' Hij twijfelde geen moment aan wie de man daarbinnen was, hij wist het, hij had het al die tijd geweten, maar nu hij voor een voldongen feit werd gesteld, werden alle vermoedens die hij het afgelopen jaar had onderdrukt, vrijgemaakt en uitvergroot. Binnen was niets te horen. 'Doe verdomme open, Sarita, ik wil met je praten!' riep Lang vertwijfeld. 'DOE OPEN!' Na tien seconden doemde een kortharige, gespierde man van gemiddelde lengte op uit het appartement. Lang herkende het gezicht en de scherpe blik hoewel hij een ander kapsel had. Marko had slordig een handdoek om zijn middel geknoopt en Lang zag dat deze flink opbolde, het restant van de erectie was nog zichtbaar. 'Wat wil je, Lang?' vroeg Marko dreigend. Lang keek naar de merkwaardige, op een bloemenkrans lijkende tatoeages op de stevige bovenarmen van de andere man. 'Ik wil Sarita spreken', zei hij toen. Marko leunde een paar decimeter van de deur tegen de muur en sloeg zijn armen over elkaar voor zijn borst. Hij wierp Lang een verachtelijke blik toe, maar zei niets. Lang hoorde zacht gesnik uit de slaapkamer. 'Laat me met haar praten,' herhaalde hij, 'laat me verdomme met haar praten, ik hoor toch dat ze huilt!' 'Maak jezelf niet belachelijk, Lang,' zei Marko, 'zulke dingen gebeuren. Jij had in Kuopio moeten zitten. Je hebt hier vanavond niets te zoeken.' 'Doe open!' gromde Lang dreigend, 'doe open, vuile klootzak!' 'Wil je echt dat ik de deur open doe en je binnenlaat en je op je gezicht sla zodat je je wekenlang niet op tv kunt vertonen?' vroeg Marko zachtzinnig. 'Is dat wat je wilt?' Ze namen elkaar zwijgend op door de kier van de deur. Lang voelde hoe de angst bezit van hem nam, en hij wendde zijn blik af. 'Ga weg, Lang', zei Marko en hij trok de deur met een knal dicht. Lang hoorde de voetstappen zich verwijderen in het appartement. Hij liet de tassen met het eten en de wijnflessen staan waar ze stonden. Hij ging naar buiten, de warme zomeravond in. Op weg door het centrum passeerde hij tientallen terrassen met vrolijk lachende en pratende mensen, hij kwam een hele stroom verstokte drinkers en jonge, lekker ruikende mensen met gladde gezichten tegen, hij liep stram en langzaam, alsof hij erg oud was geworden, hij sleepte zijn voet achter zich aan zonder te voelen dat hij pijn deed, hij sleepte zich de hele stad door, van Helsingegatan helemaal tot aan Skarpskyttegatan, naar de geur van nieuw hout en verse verf die nog in het opgeknapte appartement hing.

15

Direct na de ontmaskering trok Lang zich in zichzelf terug. Na een eerste, wederzijdse stilte probeerde Sarita contact met hem te krijgen, en toen ze besefte dat hij weigerde te antwoorden, intensiveerde ze haar pogingen. Ze schreef e-mails en stuurde sms'jes naar zijn mobiele telefoon. Ze sprak boodschappen in op al zijn antwoordapparaten, en ze probeerde hem te bereiken via de regieassistente van *Het Blauwe Uur* en via zijn uitgever. Maar Lang negeerde haar en hij wiste als een slaperige maar methodisch handelende zombie al haar berichten zonder ze af te luisteren of te lezen. En voor de rest van de wereld was hij al even onbereikbaar. Een paar weken na de schok monsterde Lang aan voor de jaarlijkse zeiltocht met oom Harry en verbaasde hem met zijn gebrek aan enthousiasme en zijn afwezigheid. De eerste avond, toen ze voor anker waren gegaan en zich hadden geïnstalleerd in de baai met de lage gewelfde rotsen, sloeg Lang zowel de whisky als de gin af en verzonk in stilzwijgen terwijl oom Harry door de kijker naar zijn sterren tuurde. Toen Harry hem vroeg hoe het met de liefde was, glimlachte Lang enkel verdrietig en afwezig en zei nog steeds niets. En toen Harry vertelde dat hij Langs moeder had gesproken en dat ze hadden besloten dat Estelle bij hem en zijn vrouw Marie zou gaan wonen wanneer ze uit het ziekenhuis kwam, reageerde Lang absoluut niet op dit nieuws, dat hem een paar weken eerder zou hebben ontroerd en opgelucht.

Lang bleef, schreef hij mij vanuit de gevangenis, niet langer boos op Sarita dan die eerste avond en het weekend erna. Zijn verontwaardiging zakte bijna schokkend snel, beweerde hij. In plaats daarvan vond er een kritische bezinning plaats, en Lang vertoonde sterke gelijkenis met iemand die op een belangrijke tweesprong staat en bereid is zijn handelingen uit het verleden aan een strenge introspectie te onderwerpen om ze vervolgens te herwaarderen en een nieuw leven te beginnen. In de eerste weken kwelde het hem zeer dat hij seksueel opgewonden was geraakt terwijl hij daar in het trappenhuis – 'vernederd, mentaal uitgekleed, een kersverse, bedrogen man', zoals hij het zelf uitdrukte in zijn brief – had staan luisteren naar de liefdesuitingen van Sarita en Marko. Hij leed onder een pas ontwaakte argwaan dat er seksueel iets mis was met hem, dat hij pervers was geworden, of het misschien altijd al was geweest. Hij herinnerde zich opeens merkwaardige voorvallen uit het verleden, waarin hij alleen en afgezonderd was geweest maar andere mensen had horen of zien handelen op een manier die zijn wellust gewekt had. Hij herinnerde zich die keer dat hij tijdens een literatuurcongres in Lissabon per ongeluk had geboekt in een hotel waar de kamers per uur werden verhuurd, en hij herinnerde zich wat voor effect het goed gesimuleerde gezucht en gesteun van de hoeren en hun geveinsde vleiwoordjes in zacht Portugees op hem hadden gehad toen hij lag te luisteren naar wat er aan de andere kant van de dunne wanden gebeurde. Hij herinnerde zich hoe hij als jonge knul een dekplaats had gehad op de veerboot naar Zweden en overnacht had op de sleep-inafdeling en in de ochtendschemer had gezien hoe een tienerstel de liefde bedreef in het bed aan de andere kant van het looppad, schuin boven hem. En hij herinnerde zich hoe hij in Franzénsgatan in een appartement dat hij in bruikleen had, aan zijn tweede roman had gewerkt, en hoe de roodharige vrouw in de flat naast de zijne op een ochtend meer dan een uur had gemasturbeerd; hij herinnerde zich haar uitingen van genot die leken op een langgerekte klaagzang en hoe onmogelijk het voor hem was te doen alsof er niets aan de hand was en door te gaan met schrijven. Wanneer Lang deze episodes uit het verre verleden opriep, kon het gebeuren dat de herinneringen hem zo opwonden dat hij zijn geslacht tevoorschijn moest halen om zichzelf te strelen. En dan kon het gebeuren dat hij dacht, bitter en ironisch, aan hoe hij zich een paar weken geleden nog had verbeeld dat dit middelgrote, soms wat traag tot leven te wekken lid dat hij nu in zijn hand hield, Sarita gelukkig maakte op een unieke manier, onnavolgbaar, niet te evenaren, hoewel er miljarden vergelijkbare penissen op de wereld waren.

Na verloop van tijd veranderde Langs schaamte van gedaante. Zij cirkelde niet langer enkel rond zijn lichaam met zijn wellust en verlangen, maar stond hem ook denksporen toe waarin hij zijn naïviteit vervloekte en verklaringen zocht voor wat er was gebeurd. Hij vroeg zich af waarom hij ondanks zijn leeftijd en ervaring Sarita's dubbelspel niet had doorzien, terwijl er al die tijd signalen waren geweest, zo duidelijk soms dat ze bijna fosforesceerden: geheimzinnige, vuile koffiekopjes; cryptische uitspraken van Miro; een vreemde geur die af en toe in Sarita's appartement hing; Marko's koppige weigering Lang te ontmoeten; Sarita's ontwijkende en geërgerde antwoorden wanneer Lang op reis was geweest en bij terugkomst vroeg hoe ze haar tijd had doorgebracht.

In een ander denkspoor verbeeldde Lang zich dat ieder mens een geheim gezicht draagt onder zijn alledaagse uiterlijk. Een gezicht dat oeroud is, zonder naam en zonder individualiteit, een AlleVrouw en AlleMan. Elk van die gezichten bevat sporen van iedere mens die ooit bestaan heeft en is daardoor drager van atavistische patronen en dwangmatige reflexen die weinig functioneel zijn in de hedendaagse wereld, maar waarin iedereen uiteindelijk toch vervalt, de een meer, de ander minder. Ook Sarita had zo'n geheim gezicht onder het gezicht dat hij langzamerhand had leren kennen en dat hij 'Sarita' placht te noemen. Lang stelde zich nu voor dat Marko van oudsher toegang had tot het verborgen, naamloze gezicht onder 'Sarita', terwijl hem die toegang ontzegd werd. En om een of andere duistere reden, erkende Lang tegenover mij, schonk die gedachte hem tróóst hoewel deze hem eigenlijk jaloers had moeten maken.

Midden in deze maalstroom van tobberijen en herinneringen en verklaringsmodellen deed Lang wat hij moest doen: hij ging van start met een nieuw seizoen, het zevende, van *Het Blauwe Uur*. Maar dit keer liep alles vanaf het begin mis. Tijdens de planning voelde Lang zich niet betrokken en hij was besluiteloos. Hij bereidde de interviews niet zo nauwgezet voor als vroeger. Hij raakte in conflict met V-P Minkkinen en met de nieuwe studioregisseur, een bebaarde tv-veteraan die in de plaats was gekomen van Langs voormalige minnares. Zelfs het studio-optreden, dat altijd Langs kracht was geweest, kwam nu mechanisch en ongeïnspireerd over, alsof Lang niet echt in staat was naar zijn gasten te luisteren. De neergang openbaarde zich snel en het werd alle betrokkenen algauw duidelijk dat ze getuige waren geweest van de zwanenzang van *Het Blauwe Uur*; voor velen was dat een schok, omdat het fantastische succes van de afgelopen winter en lente nog vers in hun geheugen lag.

Toen de ondergang een feit was, gaven alle experts, waaronder ook V-P Minkkinen, de schuld aan Lang en zijn persoonlijke crisis. En achteraf is het gemakkelijk om te constateren dat de kreeftengang van *Het Blauwe Uur* niet alleen berustte op het feit dat de presentator en stimulator absoluut niet in vorm was. Want juist op dat moment, rond de millenniumwisseling, deed de debilisering van de mediawereld die was ingezet er nog een schepje bovenop. In het ene land na het andere werden talkshows gelanceerd waarin een presentator de infantiele brutaliteit van de Amerikanen Jay Leno en Conan O'Brien na-aapte. Op de ene zender na de andere werden semi-fascistische survivalprogramma's geïntroduceerd als *Ex-*

peditie Robinson en *Survivor*, vernederende kijkdoosprogram-
ma's zoals *Big Brother* en hebzucht bevorderende quizzen zoals
Who wants to be a millionaire en *Greed*. Maar algauw begrepen
de tv-bazen dat dit niet voldoende was in de strijd om adver-
teerders en kijkers. Er was meer infantiliteit nodig om het
rusteloze gezap thuis te veranderen in dertig of zestig minuten
zenderloyaliteit: het was tijd voor programma's als *Guinness
World Records, A Mission Impossible, Jackass* en *Far Out*, en in
het verlengde daarvan ook voor kinderzenders waar volwassenen al helemaal niet meer aan te pas komen, zoals Moon en
ATV. Dankzij deze massale ontwikkeling daalde de ideale leeftijd voor een tv-ster gezwind naar eenentwintig, en de weekbladen en omroepgidsen wierpen zich hongerig op al deze
nieuwe en frisse programmapersoonlijkheden; kilometers ko-
lommen werden er volgeschreven met hun levenswijsheden,
meestal iets in de trant van 'Je moet je eigen race lopen' en 'Een
porseleinen kut is helemaal oké'. Als gevolg daarvan begon
men de discrete en intellectuele formule van Lang en *Het
Blauwe Uur* als hopeloos ouderwets te ervaren, en die ver-
meende ouderwetsheid weerspiegelde zich algauw in een da-
lende interesse bij zowel het publiek als de media: niemand
was nog geïnteresseerd in het maken, laat staan kennisnemen
van nieuwe, opgedirkte en geretoucheerde portretten van de
tv-persoonlijkheid en romanschrijver Christian Lang.

Toen V-P Minkkinen de kijkcijfers van september kreeg, werd
hij erg nerveus. Hij wist dat dezelfde cijfers naar de bazen
gingen die in verbinding stonden met de mensenschuwe zendereigenaar Meriö, een vijfenvijftigjarige man die aan het einde van de jaren zestig als rondtrekkende hippie had geleefd,
maar die daarna al zijn tijd had besteed aan het vergaren van
rijkdommen en was uitgegroeid tot een mediagigant met
tentakels overal. Minkkinen wist ook dat invloedrijke stemmen al geruime tijd de stopzetting van *Het Blauwe Uur* propa-

geerden, en daarom had hij Lang uitgenodigd voor een gesprek onder vier ogen om de strategie te bepalen. De ontmoeting vond plaats in het kantoor van de productiemaatschappij zes verdiepingen boven de studio in Östra Böle, en begon ermee dat Minkkinen aan Lang vroeg: 'Weet je wat onze grootste fout is geweest?' 'Nee, vertel', geeuwde Lang terwijl hij luste-loos door het raam naar buiten keek; het was tien uur 's ochtends en hij had de vorige avond eerst bij Tapasta gezeten om via Soda en 10th Floor om vier uur 's nachts te eindigen bij Manala. 'Dat we geen echt handelsmerk van je hebben gemaakt toen we begonnen', zei Minkkinen. 'We hadden de show naar je moeten noemen.' Lang geeuwde wederom, maar zei niets. Hij haalde zijn vingers door zijn haar en bekeek geïnteresseerd de vissen in Minkkinens kantooraquarium. 'Je moet jezelf vermannen, Kride!' zei Minkkinen scherp en hij klopte met zijn knokkels op het bureaublad om zijn woorden te onderstrepen. 'Je hebt afgedaan.' 'Afgedaan, hoezo afgedaan?' mompelde Lang afwezig. 'Het is ernst nu, Lang', vervolgde Minkkinen op amechtige toon. 'Geen enkel serieus blad wil nog een portret van je maken, zelfs de bladen die Meriö bezit niet. Ik kan je niet eens meer onderbrengen bij enquêtes: Mijn lievelingsboeken, Mijn levensalfabet, Tien dingen waar ik niet zonder kan... Zelfs daar willen ze je niet. Het enige wat ik heb, is een telefoontje van *Seiska*; er schijnen geruchten te zijn dat je slaapt met een alleenstaande tiener-moeder in Berghäll.' 'Ze is geen tiener, VeePee,' antwoordde Lang, 'ze is zevenentwintig.' 'Ja ja, doet er niet toe,' zei Minkkinen geïrriteerd, 'je moet toch uitkijken.' 'Ze ruiken bloed, hè?' zei Lang. Minkkinen knikte ernstig: 'Volgens mij wel. We hadden een overeenkomst maar ze zijn bereid die te verbreken. Je bent hard op weg interessanter te worden als schandaal dan als glamourfoto.' 'Ik begrijp niet...' mompelde Lang, maar hij maakte zijn zin niet af. 'Wat begrijp je niet?' vroeg Minkkinen scherp en hij keek Lang dwingend aan. 'Waarom publiciteit

moet bestaan uit óf idoolverheerlijking óf kwaadwillendheid',
zei Lang. 'Waarom is er geen ruimte voor reflectie tussen die
twee uitersten?' 'Omdat de mens lui en slecht is', onderbrak
Minkkinen om er meteen aan toe te voegen: 'Heb je niet iets
wat we ze kunnen geven? Iets positiefs, een nieuw boek of...
hoe is het trouwens met je zoon? Doet hij binnenkort geen
eindexamen? Dan hebben we aas om aan de haak te...' 'Schei
uit!' onderbrak Lang hem. 'Hij heeft een jaar geleden al exa-
men gedaan, hij woont in Londen.' 'Of je zou je ergens kunnen
vertonen met een geschikte vrouwelijke beroemdheid', zei
Minkkinen optimistisch, zonder zich iets aan te trekken van
Langs tegenwerping. 'Er zijn er nog steeds die wel met je de
stad in willen, Mannila bijvoorbeeld, ze is net weer single en
heeft een filmpremière in december en...' 'Wat een vreselijke
mediahoer ben jij geworden, zeg!' brieste Lang opeens. 'Het
komt me de strot uit! Ik word ingehaald door snotneuzen die
halfdronken op een mentaal skateboard door hun uitzendingen roetsjen, als ze tenminste niet bezig zijn om met hun blote
pik in de bladen te komen of hun gasten te beledigen! En dan
wil jij dat ik – ík! – voor diezelfde bladen door het stof kruip die
zulke twintigjarige rozijnenhersenen verafgoden! Nooit van
mijn leven, VeePee! Nooit van mijn leven!' 'Luister nu eens,
Kride,' antwoordde Minkkinen geduldig, 'we verliezen kijkers
aan die jonge gasten en...' 'Daar heb ik schijt aan!' viel Lang
hem nogmaals in de rede. 'Ik ben een denkend mens en geen
robot die geprogrammeerd is om de reacties van het publiek af
te lezen en daarnaar te handelen!' 'Ja,' antwoordde Minkkinen
met plotse kilte in zijn stem, 'je bent een denkend mens die veel
te veel piekert en juist daardoor ben je niet meer vooruit te
branden. Komt het soms door die griet dat je zo geworden
bent?' 'Deze discussie is absurd!' schreeuwde Lang kwaad en
hij vervolgde met de retorische vraag: 'Wie van ons beiden is er
nu eigenlijk niet goed snik, VeePee?' 'Dat lijkt me heel eenvoudig,' antwoordde Minkkinen hooghartig, 'dat ben jij,

Lang.' 'Hoe dan ook,' zei Lang, 'ik ga ervandoor. Een prettige dag nog, meneer de producent.' 'Ja, ga jij maar,' mopperde Minkkinen toen Lang opstond, zijn jas pakte en naar de deur liep, 'ga jij maar, lafaard. En ik mag de rotzooi opruimen.'

Diezelfde avond, in de schemering, zat Lang aan een raamtafeltje in Carusel aan de zeehaven. Hij zag de oktoberhemel opvlammen en uitdoven achter Drumsö, en hij zag de maan als een bleekgele schijf boven de lage industriecomplexen van Busholmen staan. En hij dacht: VeePee is mijn vriend niet meer, VeePee is ook een termiet geworden, nog zo'n termiet die aan mijn ziel knaagt.

Toen het donker was geworden, ging hij niet naar huis, maar naar zijn kantoor aan Villagatan. Terwijl hij wachtte tot de computer contact kreeg met de server, besefte hij dat het heel lang geleden was dat hij in deze kamer had zitten schrijven. Er zaten drie nieuwe berichten in zijn mailbox: een verzoenend van V-P Minkkinen, een verontrust van Anni – ze schreef dat ze Johan gesproken had door de telefoon en dat 'zijn stem slecht klonk' – en een van Sarita, met als onderwerp 'ben je helemaal niet meer van plan om te antwoorden?' Lang begon met het terugsturen van twee regels aan Minkkinen: '*Possessing an acute perception is not the same as being mad. But sometimes possessing an acute perception can drive you mad.*' Vervolgens schreef hij een lang en vriendelijk antwoord aan Anni, met wie hij meer dan een jaar niet gesproken had, en hij vroeg haar meer informatie over Johan te sturen. Daarna wiste hij Sarita's brief zonder hem te lezen, en ging direct door naar de Prullenbak om haar bericht ook daaruit te verwijderen: hij, Christian Lang, ging echt niet door de knieën.

16

Op een winderige en kille woensdagavond niet meer dan een dikke week na de ruzie met Minkkinen kwam Lang thuis na weer een mislukte opname van *Het Blauwe Uur*. De regen stroomde neer, de wind rukte ruw aan de halfnaakte loofbomen en alle parken en stegen waren gevuld met diepe schaduwen. Enkele figuren, gekleed in zwart en bruin, bewogen zich vlug en gekweld door de verlaten straten en deden Helsinki lijken op de plaats van handeling in een oude Fritz Lang-film waar alle moordenaars tegelijkertijd met verlof waren uit de gevangenis. Het was laat op de avond en alle parkeerplaatsen waren bezet; Lang moest zijn Celica helemaal bij Villa Ensi parkeren. Hij liep de paar honderd meter naar Skarpskyttegatan met de regen en noordenwind in zijn gezicht en een vaag, onbehaaglijk gevoel in zijn achterhoofd: alsof iemand hem schaduwde. Toen hij de deur in de ijzeren poort opendeed en zijn eerste stappen op de kleine binnenplaats zette, ontwaarde hij de lange man in de duffelachtige jas, leunend tegen de muur, en zijn hart begon te bonzen van angst: Lang was ervan overtuigd dat hij nu dan op zijn eerste stalker was gestuit en zou gaan sterven. De man in de duffel bleef staan wachten. Verstijfd van angst naderde Lang de buitendeur met de sleutel in zijn ene hand en zijn andere tot een vuist gebald om te slaan. Hij registreerde dat de duffelman langharig en mager was; als het geen stalker was, dan was het vast een junk op zoek naar geld voor een volgende shot. Lang maakte zich op om vlug naar binnen te glippen en de deur stevig achter zich dicht te trekken voordat de vreemdeling in de aanval kon gaan. Pas nadat hij de man op een paar meter was gepasseerd en hij de deur had bereikt, deed iets in de verlopen gestalte hem inhouden en aarzelen, en hij vroeg vorsend: 'Johan?' En toen zag hij opeens dat de vreemdeling net zo bang was als hij, en vanuit het halfduister bij de muur klonk een angstig en net zo vorsend: 'Papa?'

Lang en Anni regelden met vereende krachten een plaats voor Johan in een ontwenningskliniek ten noorden van Esbo. Het was voor het eerst in meer dan tien jaar dat ze samenwerkten. De breekbare verzoening was hard nodig: Johan had in het jaar in Londen de smaak te pakken gekregen van ecstasy en amfetamine en hij bleek er inderdaad zo slecht aan toe te zijn als Anni gevreesd had.

De zorgen om Johan hielden Langs gedachten nog een tijdje weg van Sarita, en hij ging door met het negeren van al haar pogingen tot contact, met de doelbewustheid van een slaapwandelaar. In zijn werk was hij nog verstrooider en ongeïnteresseerder dan voorheen, en het ontging niemand dat de kloof tussen hem en V-P Minkkinen steeds dieper en definitiever werd; de vraag was nu of het team van *Het Blauwe Uur* bij elkaar wist te blijven tot eind mei, wanneer het laatste programma zou worden opgenomen en uitgezonden.

En dan was er dat met Anni. Voor het eerst in meer dan tien jaar zag Lang de moeder van zijn enige nakomeling als een heel mens, niet als een intelligente bitch die door de telefoon sarcastische opmerkingen over hem uit stortte. Toen ze destijds na elf stormachtige jaren waren gescheiden, waren ze elkaar spuugzat geweest, en Anni was bovendien verbitterd over de, naar later bleek, omvangrijke ontrouw van Lang. Het sporadische contact dat ze sindsdien hadden gehad, was er alleen vanwege Johan geweest, zodat hij ook toegang tot zijn vader zou hebben al woonde hij bij Anni en haar nieuwe gezin. Maar nu lunchten Lang en Anni twee keer en ze dineerden een keer samen in de loop van een paar weken. En hoewel ze hun ontmoetingen gebruikten om te bespreken hoe ze Johan het beste konden redden, begon Lang onwillekeurig ook over Anni na te denken. Het viel hem op dat ze tegenwoordig tamelijk belabberd Zweeds schreef en sprak. Ze had drie nagenoeg volledig Finstalige kinderen bij haar nieuwe man, een hardwerkende bedrijfsjurist. Zelf was ze hoofd pr bij een groot farmaceutisch concern en zowel haar privé-leven als haar werkende bestaan speelden zich tegenwoordig in het Fins af. Lang zag weer voor zich hoe Anni's koele en elegante buitenzijde placht te breken wanneer ze met elkaar naar bed gingen. Hij herinnerde zich de gebroken en wellustige liefdeswoordjes die ze gebruikte wanneer ze haar orgasme naderde, en hij vroeg zich af of ze ook die tegenwoordig in het Fins uitsprak: waarschijnlijk wel. Hij vroeg zich af of Anni ooit hetzelfde ervaren had als hij, dat de volledig tweetalige mens zijn innerlijk verliest, dat hij niet langer één taal heeft voor zijn diepste liefde en diepste levensgevoel, en dat hij daarom vindt dat alle woorden die gesproken worden tijdens de liefdesdaad fout en verkeerd klinken, zodat hij het liefst zou willen dat alles gebeurde in een taal die ergens *in het midden* lag. Lang wilde Anni ernaar vragen maar hij durfde niet; het onderwerp leek hem al te intiem.

Het viel Lang ook op hoe mooi Anni was geworden. Ze was mooi met scherpe contouren op een rijpe manier die, vergezeld door de rust die een geslaagde carrière en een gelukkig tweede huwelijk haar gaven, volkomen natuurlijk leek en Lang soms bijna sprakeloos maakte. Hij vermoedde dat Anni's schoonheid zich in zijn ogen verdiept had door de verbondenheid die ze ooit hadden gekend en door het feit dat ze samen Johan hadden gekregen en opgevoed. Opeens besefte Lang dat Anni en hij heel goed hadden kunnen doorgaan met samen verder leven en van elkaar houden, als ze maar iets meer geduld en verdraagzaamheid hadden gehad in de jaren dat ze rond de dertig waren. En toen hij al die mooie gedachten over Anni had, voelde de herinnering aan Sarita plots als de herinnering aan iets hoekigs, iets onzekers en onvoltooids; en terwijl hij daar op zijn restaurantstoel zijn ex-vrouw zat op te nemen, verbeeldde Lang zich dat hij Sarita helemaal niet miste, absoluut niet.

Tijdens de weken dat Johan in de kliniek verbleef, bezocht Lang hem zo vaak hij kon. Eén keer reden ze met toestemming van de verantwoordelijke arts naar Helsinki en aten in een Indisch restaurant, maar verder maakten ze lange wandelingen over de herfstige, natte wegen in de omgeving van de kliniek. Soms, wanneer ze naast elkaar in de motregen liepen, herinnerde Lang zich Sarita's woorden dat hij een mens was die dingen deed uit plichtsbesef en crisissen doorstond als een gespannen bundel, en hij vroeg zich af of hij zich voor de gekwelde Johan net zo geneerde als hij destijds deed voor Estelle toen ze ziek werd. Maar hij dacht van niet, want hij voelde nu niets van de woede en irritatie die zo vaak zijn gevoelens voor Estelle hadden gekleurd.

Johan was berouwvol en zwijgzaam; Lang had ruim de tijd voor zijn eigen gedachten. Soms liep hij naast zijn stille en sombere zoon, die negen centimeter langer was dan hij, en zag beelden van een heel andere Johan voor zich. Weer die novembermaand bijna twintig jaar geleden: hij duwt de kinderwagen door het Hesperiapark in een onophoudelijke motregen, Johan zit rechtop in de wagen, hij draagt een turkooizen mutsje, vastgeknoopt onder zijn kin, en lacht tegen de mensen die ze tegenkomen; ze gaan een tearoom binnen om iets lekkers te kopen en als ze thuiskomen smeert Johan zijn babyvoedsel tegen de muren en wordt Lang boos. Opeens zag hij met schrikbarende duidelijkheid zijn eigen, meer dan twintig jaar oude hulpeloosheid als vader. Hij hoorde hoe Anni tijdens het echtscheidingsproces afgaf op zijn opvoedingsmethodes: volgens haar had hij een slappe 'doe-wat-je-wilt'-houding gehad, afgewisseld met plotselinge, voor het kind onbegrijpelijke woede-uitbarstingen wanneer de strenge opvoeding die Lang van Stig-Olof en Christel had gekregen door zijn zogenaamd tolerante buitenkant heen brak. En in gedachten kon hij nog voelen hoe moeilijk hij het had gevonden om van stijl te veranderen wanneer hij Johan belde nadat Anni hertrouwd was en zijn zoon al in de pubertijd zat: moest hij zeggen 'Hallo, met papa' of 'Hoi, je ouwe hier', of misschien 'Met Kride, alles kits'?

Op een dag, toen Johan en hij zoals gebruikelijk over de landweg liepen op weg terug naar de klinick, zag Lang een kerstfeest voor zich in het kinderdagverblijf Tärnan. Johan was uitgedost in bruin- en witgeschilderd karton en had een hoge, zwarte papieren hoed op: een schattig peperkoekmannetje. Lang zat tussen de andere ouders. Hij had buikpijn, want het was iets over zevenen in de ochtend en mensenmenigtes maakten hem altijd nerveus en nu was hij bovendien een Bekend Persoon aan het worden, waardoor de andere ouders hem enigszins verholen zaten op te nemen. Bij de rondedans kwam Johan naar hem toe, zocht zijn blik en vroeg verlegen: 'Kom je dansen, papa?' Lang reageerde helemaal verkeerd. In plaats van dat hij blij en trots was op het kleine peperkoekmannetje met extra attributen in de vorm van een trolstaf en hoge hoed, geneerde hij zich en was onaangenaam getroffen, en hij antwoordde: 'Nee Johan, papa danst nu niet.' Johan wendde zijn hoofd af en keek om naar de andere, joviale vaders die dansten op *Och nu är det jul igen* samen met hun peperkoekmannetjes, Lucia-meisjes, engelen en wijzen uit het oosten. Een van de vaders had zelfs een videocamera in zijn hand en terwijl hij danste, richtte hij de camera afwisselend op zijn zoon en op zichzelf. Johan wierp nog een blik op zijn vader, beet nadenkend op zijn onderlip en liep weg; even later zag Lang hem staan bij een engel en een wijze die het vandaag allebei zonder ouders of familie moesten stellen. Terwijl ze de poort van de

kliniek binnengingen en verder wandelden over de lange oprijlaan, kon Lang niet nalaten te vragen of Johan zich het kerstfeest op Tärnan herinnerde. Johan luisterde aandachtig naar
het verhaal van zijn vader. 'Nee, daar weet ik niets meer van',
zei hij toen. 'Ik herinner me maar weinig van toen ik klein was.
Van de basisschool herinner ik me meer, dat was toen jij en
mama 's avonds altijd ruziemaakten.' Toen zweeg Johan een
poosje, en Lang ook, tot hij merkte dat zijn zoon begon te
lachen: een zachte, bijna giechelige lach die langzaam aanzwol
terwijl ze de kliniek naderden. 'Waar lach je om?' vroeg Lang.
'Omdat je je in je hoofd haalt dat ik aan de drugs ben geraakt
omdat je geen rondedans met me hebt gemaakt op de crèche.
Kom op, pa!' antwoordde Johan en hij lachte nu zo smakelijk
dat ook Lang zijn mondhoeken omhoogtrok; en het was op
dat moment, vertelde hij mij later, dat hij begreep dat Johan
het zou redden, dat hij zou terugkeren in de kringen van
normaal functionerende mensen.

Lang ontmoette Anni nog een keer; dat was begin december
voor een vroege kerstlunch om te vieren dat Johan langzaam
begon te herstellen. Lang was nog steeds ondersteboven van de
crisis van zijn zoon, en na een paar glazen wijn bij het eten
vertelde hij Anni over het versmade peperkoekmannetje en
over zijn gevoel dat hij, Lang, als een speer door zijn eigen leven
was gevlogen en geweigerd had een heel en voelend mens te
worden. Anni had keihard gereageerd. Ze was, beweerde Lang
bitter, iemand die haar eigen aanvallen van sentimentaliteit
altijd accepteerde maar nooit die van anderen, en nu zei ze
streng tegen hem dat zijn zelfmedelijden niemand hielp, hemzelf niet en haar niet en Johan al helemaal niet, en ze besloot
haar uitval met Lang erop te wijzen dat ze hem al jaren geleden
telkens weer had gevraagd zijn valse en knagende rol als cha-
rismatische bekendheid af te leggen.
Toen Lang die avond thuiskwam, was hij nog steeds ver-

pletterd door Anni's kritiek. En toen hij een boodschap van Sarita op zijn antwoordapparaat aantrof, luisterde hij die van het begin tot het eind af en belde haar vervolgens op. Ze zeiden geen van beiden veel; Sarita leek nagenoeg sprakeloos dat Lang eindelijk reageerde. Ze ontmoetten elkaar kort voor middernacht in een bar op de hoek van Kajsaniemigatan en Berggatan, en daar legde Sarita haar magere hand met de lange vingers in de zijne en zei ernstig: 'Het spijt me.' 'Mij ook', mompelde Lang als antwoord. Achteraf herinnerde hij zich dat er de hele tijd een nee! nee! nee! in hem getikt had. Maar hij snakte naar liefde en hij ging met haar mee naar huis. Daar boog hij zich over de slapende Miro en streek hem vluchtig over zijn haar. Vervolgens liep hij door het appartement en opende alle kastdeuren, ging voor het woonkamerraam staan maar negeerde het tv-scherm en de uitgestrekte benen en de blote voeten op het voetenbankje aan de overkant; in plaats daarvan keek hij naar beneden om zich ervan te verzekeren dat er geen onbevoegde rondhing op de vaag verlichte binnenplaats. Pas na deze rituelen uitgevoerd te hebben, liep hij naar de voordeur en deed de veiligheidsketting erop. Maar niets hielp. Lang meende voortdurend de geur van een vreemde aftershave te ruiken, en hij werd pas rustig toen Sarita zei dat ze Marko sinds begin oktober niet meer had gezien en dat Marko van Miro hield en nooit zou komen opdagen om herrie te schoppen als de jongen thuis lag te slapen.

Tijdens de hele nacht en ochtend vroeg Lang niet één keer 'Waarom?', en hij noch Sarita repte met een woord over de toekomst. Wél nam Lang een kleine en, gaf hij tegenover mij toe, gemene wraak door niet meteen met Sarita te vrijen. In plaats daarvan ging hij zo liggen dat de positie van zijn lichaam in verhouding tot haar mond een stille wenk was dat ze zijn geslacht tussen haar lippen moest nemen. Terwijl ze dat deed, streek hij eerst met zijn handen over haar haren, woelde er vervolgens doorheen en trok er tot slot hard aan. Pas 's ochtends vond de uiteindelijke verzoening plaats. Hoewel ze hoorden dat Miro wakker was en voor de tv zat, gleed Lang onder het dekbed en begroef zijn gezicht tussen Sarita's benen tot ze begon te trillen en schokken, één keer, twee keer, drie, waarna haar lichaam verwrongen werd in een stille kramp. Daarna verenigden ze zich eindelijk en toen Sarita schrijlings op Lang zat, zag hij gedachten en gevoelens in haar ogen bewegen als golven in de zee. Hij zag angst en kracht en wantrouwen, en hij zag gelijke delen verlangen en medelijden, maar hij zag geen hoon meer; de tijd van spotternij was voorbij. En zelf sloot hij zijn ogen en besefte dat hij, als puntje bij paaltje kwam, tot nagenoeg alles bereid was voor Sarita. Want zij was het geweest, en niet Anni of iemand anders, die hem het leven had teruggegeven.

17

Telkens wanneer Lang Sarita's appartement binnenstapte werd hij herinnerd aan zijn angst voor Marko. Het werd er niet makkelijker op doordat de angst vermengd was met een flinke dosis jaloezie, en nog voor de kerst stelde hij voor dat Sarita een koffer zou pakken om een paar dagen bij hem in zijn voor veel geld gerenoveerde appartement te komen doorbrengen; voor Miro konden ze een bed op de bank opmaken, zei hij. Maar Sarita verwierp het voorstel met als reden dat Miro categorisch en hardnekkig weigerde. Wat waar was, want Lang had Miro de dag voor Onafhankelijkheidsdag uit school gehaald en toen hadden ze de zaak besproken en Miro was zeer gedecideerd geweest: hij woonde op Helsingegatan en sliep soms in Stensvik en 's zomers in Virdois en daar bleef het bij, punt uit. Het was Lang opgevallen dat Miro niet langer over 'Marko-papa' sprak en ook niet over 'oom Chrisschjan'; nu hij eenmaal op school zat, gebruikte hij alleen nog voornamen. Er was, zei Lang later tegen mij, een speciaal soort kinderen dat tamelijk eenzaam opgroeide en al jong vol merkwaardig volwassen gedachten zat. Deze kinderen hadden een wijsneuzige en melancholische manier van doen die, zei Lang, hem altijd deed denken aan hoe doodgewoon en veilig zijn eigen jeugd eigenlijk was geweest, ondanks de periodieke kilte in huis. Hij vond dat eerstegroeper Miro hard op weg was zich te ontwikkelen tot precies zo'n vroegwijs en enigszins triestig kind.

Verder werden de weken voor kerst vooral beheerst door Lang en Sarita's aarzelende pogingen om een nieuw vertrouwen op te bouwen op de ruïnes van het oude. Dat was lastig: alle toekomstvoorspellingen waren onzeker, en niets was meer zoals vroeger. Er hing zelfs een nieuwe sfeer rond hun seksspelletjes; puur technisch waren ze hetzelfde als voorheen, maar ze werden nu in een langzamer tempo gespeeld en in Sarita's gedrag school iets nieuws, iets wat nog het meest leek op een breekbare vertwijfeling. Soms stootte ze met gesloten ogen een 'Je pik! O je pik!' uit, maar zonder dat Lang er zeker van was of ze er wel echt bíj was en dat het inderdaad zíjn geslacht was waar ze om smeekte. Lang vond dat Sarita over het geheel genomen ernstiger leek dan eerst, misschien ook zachter. Soms huilde ze 's nachts, niet bitter, eerder verdrietig en ook opgelucht, alsof er een zware last van haar schouders was gevallen nu ze niet langer dubbelspel hoefde te spelen en toch Lang nog had, een Lang die er nu van op de hoogte was dat hij onderdeel uitmaakte van een raadselachtige ménage à trois.

Langzamerhand begonnen ook de vragen te komen. Ze kwamen vooral van Lang, die vond dat hij recht had op antwoorden en zelfs op spijt, en die er bovendien buitengewoon trots op was dat hij hun vier maanden durende scheiding had doorstaan zonder met iemand anders naar bed te gaan; dat hij de helft van oktober en heel november een heftige begeerte had gevoeld voor zijn ex-vrouw Anni, verzweeg hij voor Sarita.

Soms wilde Lang constant de korte en simpele vraag 'Waarom?' stellen. Maar dan herinnerde hij zich Sarita's retorische 'Ben jij nooit bezeten geweest van iemand?' van hun liefdesweekend in de kleine provinciestad, en liet het achterwege. In plaats daarvan vroeg hij haar naar een praktisch detail waarover hij lang had gepiekerd: waarom hadden Marko en zij de veiligheidsketting op de deur gedaan, die keer in augustus; ze wisten toch, of dachten te weten, dat Miro en Lang allebei de stad uit waren? 'Dat wilde Marko', antwoordde Sarita na lang aarzelen. 'Het had met zijn zaken te maken. Hij was bang, hij zei dat "zij" achter hem aanzaten. En toen ik vroeg "welke zij", zei hij dat het beter was als ik zo weinig mogelijk wist.' 'Weet je waar hij mee b…' begon Lang, maar Sarita keek hem angstig aan en onderbrak hem: 'Je mag nooit ruzie zoeken met Marko, Chrisschjan! En je mag nooit in zijn zaken gaan snuffelen! Beloof dat je nooit ruzie met hem zult zoeken! Beloof me dat!'

Maar ondanks zulke replieken, en ondanks het feit dat Lang ook daarna niets deed om zijn afkeer voor Marko te verbergen, net zomin als zijn voortdurende angst dat de persoon in kwestie ineens zou opduiken, was het hem nooit gelukt Sarita te laten beloven het contact met haar ex-man te verbreken. Ze antwoordde slechts: 'Hoe kan ik in vredesnaam zoiets beloven? Hij is toch Miro's vader, het is logisch dat ik contact met hem moet hebben.'

Sarita, Miro en Lang vierden kerst bij Sarita's moeder Virpi en haar man Heikki in Tammerfors. Lang wilde met de Celica, maar Miro vond dat ze, omdat het kerst was, met de trein moesten gaan. Sarita was het met hem eens, en ze kozen een propvolle intercity die de 23ste 's middags vertrok. Virpi en Heikki woonden in een driekamerappartement in een flatgebouw van vier verdiepingen, niet ver van het Sorsapark. Lang en Sarita werden in de logeerkamer links van de hal ondergebracht, terwijl Miro bij zijn oma mocht slapen; de aardige Heikki had aangeboden tijdens de feestdagen op de bank in de woonkamer te slapen. Toen ze hun spullen uitpakten, zag Lang in Sarita's koffer een middelgroot pakket met een kaartje waarop 'Voor mijn lieve Miro van Marko-papa' stond geschreven in een groot, maar verrassend mooi handschrift. Lang wilde vragen wat er in het pakket zat, maar hij zweeg.

Virpi en Heikki waren blijmoedig en beleefd en een beetje nieuwsgierig naar Lang, want hij was immers een bekend persoon. Toen Heikki een paar glazen op had, kon hij niet meer voor zich houden dat hij het tv-programma *Het Blauwe Uur* en de persoon Christian Lang nogal pretentieus vond; zelf was hij verzekeringsinspecteur, hij had een seizoenkaart voor

Tapparas hockeywedstrijden en hij had vijf jaar lang geen enkele aflevering gemist van de kwaliteitssoap *Hemgatan* op net 1. Op kerstavond, toen alle cadeautjes waren uitgepakt en Heikki en Lang zaten te pimpelen op de bank, ging Sarita's mobiele telefoon onder in haar schoudertas, die aan de deurknop van de deur tussen de kamer en de woonkamer hing. 'Je mobiel gaat!' riep Lang tegen Sarita, die in de keuken samen met Virpi bezig was de afwasmachine in te ruimen. 'Kun jij hem even pakken en opnemen, ik heb zulke vieze handen!' riep Sarita terug en ze voegde eraan toe: 'Het zal Kirsi wel zijn; die zou om een uur of zeven bellen.' Lang stond op en begon onwillig in Sarita's tas te graven. Hij vond de telefoon, drukte op de knop om het gesprek aan te nemen, legde de Nokia 3210 tegen zijn oor en zei: 'Hallo?' Eerst bleef het volledig stil. Toen zei Marko: 'Aha, dus jij bent ook mee, Lang. Daar heeft Sarita niets over gezegd.' Lang antwoordde niet; hij liep naar de keuken en gaf zonder een woord te zeggen de telefoon aan Sarita. Hij bleef niet staan om mee te luisteren, maar liep terug naar de woonkamer. Even later kwam Sarita de keuken uit, wierp Lang een vermoeide blik toe en gaf de mobiele telefoon aan Miro, die NHL 2000 zat te spelen; in Marko's middelgrote pakket had een Playstation met twee spellen gezeten. 'Hoi, Marko', zei Miro neutraal. Hij luisterde serieus terwijl Marko iets zei. 'Natuurlijk is ie gaaf', antwoordde hij even later. 'Ik ben Dallas en speel nu tegen Colorado. Hij is hartstikke gaaf. Dankjewel.' Nu was het Marko's beurt weer om iets te zeggen. Miro luisterde geconcentreerd en toen zijn vader zweeg, vroeg hij: 'Waar ben je nu, Marko?' Weer even luisteren, en toen de vraag: 'Wat doe je daar?' Lang zag opeens het gemis en de eenzaamheid in Miro's ogen. Hij kreeg een brok in zijn keel en ging naar de wc; er kwamen niet meer dan een paar druppels, en hij besefte dat hij was gaan plassen zodat de anderen zijn reactie op het gesprek tussen de jongen en zijn vader niet zouden opmerken. Toen hij uit de wc kwam, trok hij zijn jas aan en ging naar buiten. Daar, in de vaalbleke straatverlichting, in de verlate stilte van kerstavond, pakte hij zijn mobiele telefoon en toetste Anni's nummer. Tot Langs verbazing was het Johan die opnam; hij was verlegen en nam anders nooit de telefoon op bij andere mensen thuis. Toen ze elkaar fijne kerstdagen hadden gewenst, informeerde Lang voorzichtig naar de toekomstplannen van zijn zoon, en Johan antwoordde dat hij van plan was meteen na oud en nieuw terug te keren naar Londen. 'Zou je dat nou wel doen?' vroeg Lang. 'Wat als je in dezelfde val trapt?' 'Dat doe ik niet, papa,' zei Johan serieus, 'ik weet nu beter.' Ze praatten nog een poosje, en Lang beloofde dat hij op nieuwjaarsdag weer zou bellen. Voordat hij weer naar binnen ging, belde hij zijn moeder nog en oom Harry. Toen hij uitgepraat was met oom Harry, vroeg hij of hij Estelle kon spreken, die een paar weken geleden uit de kliniek was ontslagen en meteen bij Harry en Marie was ingetrokken. 'Estelle is helaas snipverkouden en ze ligt al in bed', zei Harry. 'Wil je dat ik haar wakker maak?' 'Nee, dat is niet nodig', zei Lang opgelucht. 'Zeg maar tegen haar dat ik een andere keer bel.'

In de dagen tussen kerst en oudjaar slaagde Lang er eindelijk in Sarita en Miro over te halen een paar dagen bij hem te logeren. Maar het experiment viel niet goed uit, want ondanks dat Miro zijn Playstation had meegenomen en van Lang zelfs zaalhockey in de woonkamer mocht spelen, zeurde hij de hele tijd dat hij zich verveelde en naar huis wilde. En ook Sarita leek het niet naar haar zin te hebben. Ze was rusteloos en afwezig en trok haar nagelriemen kapot wanneer ze 's avonds tv zat te kijken. Ze pulkte ook aan haar nagelriemen die avond dat ze *Some Like It Hot* van de plank met klassiekers uit de buurtvideotheek hadden gehuurd, en ze vertrok niet één keer haar mond, ondanks de gezamenlijke inspanningen van Monroe, Lemmon en Curtis en ondanks het feit dat Lang luid zat te hinniken om de film die hij en ik iedere zomer plachten te zien in bioscoop Rix in de buitenwijk waar we woonden.

Nog vóór oudjaar waren Sarita, Miro en Lang terug in de tweekamerwoning aan Helsingegatan. Marko was voor de millenniumwisseling teruggekeerd in de stad en wilde per se Miro met de feestdagen in Stensvik hebben. Na een aantal telefoontjes had Sarita Marko zover dat hij beloofde nuchter te blijven en Miro mee te nemen naar de heuvel in Helsinki waarop het Observatorium lag, om naar het grote millenniumvuurwerk te gaan kijken dat was uitgedacht en tot in detail vervolmaakt door ingevlogen Japanse experts. Lang en Sarita op hun beurt begroetten het nieuwe millennium op een grote party in het nieuw aangeschafte penthouse van V-P Minkkinen in Gräsviken. Minkkinen maakte van de gelegenheid gebruik om zijn nieuwe vriendin te showen, een tweeëntwintigjarig blond en slank meisje dat presentatrice was van een nieuwe en enorm populaire avonturenshow op net 3 die *Ättestupan* heette. Het werd een chaotisch en vrolijk feest, de stemming was hysterisch geforceerd en Lang had het bijzonder slecht naar zijn zin. Een paar vrouwen van middelbare leeftijd, die hij herkende als weekbladjournalisten, staarden de hele avond nieuwsgierig naar hem en Sarita, en de millenniumwens om middernacht tussen hem en Minkkinen was koel en plichtmatig. Lang hoorde het gigantische vuurwerk in de verte boven Kronbergsfjärden dreunen, en hij hoorde de scherpere, gierende knallen van alle vuurpijlen die vanuit de tuinen en stranden van Gräsviken werden afgeschoten. Opeens merkte hij dat hij genoeg champagne op had en ook geen trekje meer wilde van zijn dikke Cohiba-sigaar. Hij dacht aan alle overbodige 2000-gadgets die de volgende ochtend de stad zouden bevuilen en die niemand meer een blik waardig zou keuren, en hij keek vragend naar Sarita terwijl hij met zijn hoofd richting buitendeur knikte. Sarita glimlachte, liet veelbetekenend haar halfvolle champagneglas kantelen en nam een lange, genotvolle trek van de dunne cigarillo die ze door een mondstuk van imitatiepaarlemoer rookte: zij wilde nog helemaal niet naar huis.

Eind januari vlogen Lang en V-P Minkkinen naar Stockholm. Ze hadden voor ieder een eenpersoonskamer geboekt in Sergel Plaza, en onderhandelden vervolgens een aantal dagen met een internationale productiemaatschappij die een filiaal had in een van de wolkenkrabbers aan Hötorget. De onderhandelingen betroffen een eventuele verkoop van het format van *Het Blauwe Uur*, compleet met presentator en al. Minkkinen was er in een brief aan de productiemaatschappij van uitgegaan dat Lang eigenlijk Zweedstalig was en dus ook *Het Blauwe Uur* in Zweden zou kunnen presenteren. Hij had een beeld voorgespiegeld waarin Langs persoon dezelfde verwondering in de mediawereld zou wekken en dezelfde exotische uitstraling als de Fins-Zweedse presentatoren Jörn Donner en Mark Levengood in eerdere decennia. Dit initiatief moest, schreef Lang mij in een van zijn gevangenisbrieven, naar alle waarschijnlijkheid worden gezien als een laatste poging van de extravagante en genereus aangelegde Minkkinen om een vriendschap te redden die al behoorlijk tanende was.

Maar het Stockholmbezoek liep uit op een mislukking, en na vier vruchteloze dagen belde Lang Sarita vanaf Sergel Plaza, slechts een paar uur voordat hij naar huis zou vliegen. Tot zijn verbazing en teleurstelling klonk Sarita helemaal niet happig om hem te ontmoeten. Ze was, zei ze, verkouden en bovendien uitgeput van de vele uren overwerk in de studio; ze wilde liever nog een paar avonden samen met Miro thuis zijn, maar volgende week kon Lang komen logeren. Langs jaloezie was meteen gewekt. Hij weigerde het telefoongesprek te beëindigen, hij gooide al zijn charmes in de strijd, was vasthoudend en slaagde er met al zijn overredingskracht in Sarita te laten beloven diezelfde avond laat nog met hem uit eten te gaan.

Ze ontmoetten elkaar rond halftien in een Thais restaurant in Tölö. Sarita had meer make-up gebruikt dan normaal, en ze droeg een hoogrode trui met polokraag en wijd uitlopende spijkerbroek in een andere, bijna net zo vlammende nuance rood. Toch was Langs eerste gedachte dat ze niet had gelogen: ze zag er inderdaad verkouden en moe uit, de make-up kon haar bleekheid en de donkere wallen onder haar ogen niet verhullen. Lang daarentegen voelde zich levendig en teerhartig en geil na de lange en frustrerende vergaderdagen, en tijdens het etentje streelde hij herhaaldelijk Sarita's handen en wangen, hij boog zich ook naar voren om haar te kussen en hij probeerde zijn tong in haar mond te steken, hoewel ze afwezig was en weinig geïnteresseerd leek in zijn liefdesbetuigingen of seks. Ook nu was Lang geduldig en vasthoudend, en de avond eindigde ermee dat ze een taxi naar Helsingegatan namen. Toen ze het appartement betraden, keek Kirsi, die op Miro paste, Lang vol verachting aan, alsof hij alles vertegenwoordigde wat rot en verkeerd was aan bijna drie miljard mannen. Toen Kirsi even later vertrok, omhelsden zij en Sarita elkaar bij de buitendeur en tegelijkertijd fluisterde ze iets in Sarita's oor. Lang, die zijn oren spitste, vond het klinken als een soort vraag. Maar Sarita fluisterde niets terug; ze haalde alleen haar schouders op en opende de deur voor Kirsi, die in het donkere trappenhuis verdween. Toen Lang een paar minuten later uit de badkamer kwam, lag Miro rustig te slapen in zijn alkoof. Sarita was al in de slaapkamer, ze had de gordijnen dichtgetrokken, zich uitgekleed en was in bed gekropen. Alle lichten waren uit. Toen Lang probeerde haar te strelen en tegelijk naar de schakelaar van het leeslampje op de toilettafel tastte, pakte Sarita zijn hand en vroeg hem de lamp uit te laten. Toen ze klaar waren met vrijen, begon ze stilletjes te huilen en ze vroeg hem te vertrekken; ze wilde alleen slapen en de volgende ochtend alleen wakker worden, zei ze. Lang koesterde toch al verdenkingen. Toen hij opstond om in de keuken een glas water te halen, boog hij zich bliksemsnel naar voren om de lamp op de toilettafel aan te knippen. Het dekbed kwam tot op haar heupen en Sarita werd overrompeld; ze kon zich niet meer bedekken, en Lang zag de flinke blauwe plekken met ontstellende duidelijkheid, één op allebei haar armen en een kleinere in haar hals, en hij zag ook het vurige litteken op haar buik, vlak boven haar navel: een brandwond. Toen wierp Sarita zich boven op hem en ze begon hem te slaan, hard, met gebalde vuisten, terwijl ze schreeuwde met een stem die wild en gebroken en vertwijfeld klonk: 'Doe uit! DOE UIT! DOE UIT KLOOTZAK! EN LOOP NAAR DE HEL!' Lang deed vlug de lamp uit. Sarita hield op met slaan en stond op, ze trok een groot wit T-shirt aan en ging bij het raam staan roken. Maar ze huilde nog steeds, en ondertussen was ook Miro wakker geworden en stemde in met het koor; eerst waren er sluipende voetjes te horen en even later stond hij in de deuropening te brullen, terwijl Lang probeerde hem gerust te stellen en over te halen terug te gaan naar zijn slaaphoek in de andere kamer.

Het duurde tien minuten, misschien een kwartier, maar uiteindelijk slaagde Lang erin Miro rustig te krijgen: de jongen lag in zijn bed te snikken en snotteren, ondertussen streek Lang over zijn haar en uiteindelijk sliep hij. Toen was Langs initiatief opeens uitgeput. Hij liep terug naar de slaapkamer en bleef lange tijd op de rand van het bed zitten met zijn sokken in zijn hand, niet wetend wat te doen. Sarita stond nog steeds bij het raam, ze rookte nog een sigaret, en toen die op was zei ze met verstikte stem: 'Dit begrijp je niet, Lang! Je snapt echt hele-maal niets, dus rot op en laat me met rust!' 'Als ik wegga, komt hij dan vannacht?' vroeg Lang. 'Nee, hij komt niet vannacht. Ga nu, alsjeblieft!' zei Sarita gelaten. En eindelijk gehoor-zaamde Lang: hij kleedde zich aan en vertrok.

18

's Ochtends deed Langs lichaam pijn van de klappen die hij had gekregen en zijn ziel van de woorden die Sarita naar zijn hoofd geslingerd had. 'Je snapt echt helemaal niets.' Lang nam een vrije dag en bezocht styliste Kirsi op haar werk, een succesvol modellenbureau. Hij vroeg haar, 'voor Sarita's bestwil', alles te vertellen wat ze wist over Marko, wie hij was en waar hij zich ophield en over wat er eigenlijk aan de hand was tussen hem en Sarita. Kirsi leek er spijt van te hebben dat ze de vorige avond boos naar Lang had gekeken – alsof hij Marko's plaatsvervanger was – en ze was nu de vriendelijkheid zelve. Maar ze zei ook dat ze Sarita pas een jaar of zes kende, en dat de geschiedenis tussen Marko en haar vriendin veel eerder was begonnen. 'Dat weet ik,' zei Lang, 'en ik wil dat het eindelijk eens ophoudt.' 'Daar ziet het helaas niet naar uit', zei Kirsi. 'Sarita heeft al vaak geprobeerd met hem te breken. Er is zelfs een tijdje een rechtbankuitspraak van kracht geweest dat hij niet in haar buurt mocht komen. Maar ze wordt altijd weer naar hem toe getrokken.' 'Maar waarom?' vroeg Lang hulpeloos, en toen antwoordde Kirsi dat ze het niet wist; ze wist alleen dat de relatie van Sarita en Marko van het begin af aan gecompliceerd was geweest en dat het alleen maar erger was geworden. Ze voegde eraan toe: 'Sarita vertelt mij ook niet veel.' Lang stelde nog een paar vragen, en Kirsi gaf vage antwoorden en zei stellig te betreuren dat ze hem zo weinig van nut was. Ze zei dat Sarita in alle andere opzichten een capabele en rationele vrouw was die uitstekend in staat was voor zichzelf te zorgen en verstandige beslissingen te nemen. Marko moest een soort greep op haar hebben, maar Kirsi wist niet wat voor greep. Maar één ding wist ze wel: dat Sarita's affaire met Lang niets goeds had gebracht, eerder het tegenovergestelde. Want Marko kon best geschikt zijn, zei Kirsi, maar als ze Sarita's beknopte mededelingen goed had begrepen, was hij op het ogenblik onmogelijk, en dat was vanwege Lang. 'Waarom red je je eigen huid niet, waarom trek je je niet terug?' vroeg ze toen en ze ging verder voordat Lang kon antwoorden: 'Die twee horen bij elkaar, begrijp je, ze horen bij elkaar ook al willen ze niet, en daar kun jij niets aan veranderen. Trek je terug voordat er ergere dingen gebeuren, Lang.' Ze keek een beetje ironisch en, aldus Lang, begerig naar hem, alsof ze stilletjes haar kansen afwoog voor het geval hij Sarita zou verlaten. Maar toen voegde ze eraan toe: 'Maar dat kun je zeker niet? Je bent verliefd op haar, hè?'

Later die dag belde Lang met zijn mobiele telefoon naar Marko's moeder in Stensvik; hij had de achternaam en het nummer in Sarita's telefoonboek gezien en ze allebei onthouden. Maar ook die actie leidde tot niets. Hij stelde zich voor als 'Tero', een oude schoolvriend van Marko. Tot zijn opluchting stelde de moeder, die een lichte en enigszins bezorgde stem had, geen lastige vragen over in welke klas hij had gezeten en of hij in hetzelfde hockeyteam als Marko had gespeeld. Ze klonk bijna bang toen ze zei dat ze geen idee had waar haar zoon zich ophield, dat hij van de aardbodem verdwenen leek en dat het geen zin had dat Tero – of wie dan ook – haar belde, want Marko bezocht haar maar zelden.

Toen Sarita Lang een paar dagen later belde en gedwee en berouwvol klonk, probeerde Lang zich niet gekwetst of onbereikbaar op te stellen. Ze vroeg of ze hem mocht uitnodigen voor een verzoeningsetentje, en hij stapte onmiddellijk in de Celica en reed naar Berghäll. Sarita kwam hem al bij de deur tegemoet en ze omhelsden elkaar. Ze bleven lange tijd onbeweeglijk staan, en Lang voelde de warmte van haar lichaam door zich heen stromen. Er was, zei hij later tegen mij, geen ruimte meer voor verklaringen, die hadden veel en veel eerder moeten komen; dat voelde hij intuïtief toen hij daar in de deuropening stond en haar vasthield.

Aan de buitenkant was alles nog hetzelfde. Sarita nam tram 8 naar de studio waar ze werkte. Lang ging verder met het verwaarlozen van zijn werk voor *Het Blauwe Uur*. Op woensdag haalde hij nog steeds Miro uit school. Hij begeerde Sarita's lichaam nog net zozeer als voorheen, maar de ongedwongenheid tussen hen was niet meer te herstellen; ze begonnen, herinnerde Lang zich achteraf, steeds meer te lijken op twee schipbreukelingen die zich bij gebrek aan andere reddingsboeien aan elkaar vastklampen. Vooral Sarita was veranderd. De scherpe ironie die zo kenmerkend voor haar was geweest toen ze elkaar leerden kennen, was nagenoeg verdwenen. Ze kwam nu steeds vaker over als een gevoelige vrouw die zwaar onder druk stond en snakte naar liefde in plaats van de ontaarde hel waar ze nu in leefde. Lang merkte tot zijn ontzetting dat Sarita op Estelle leek wanneer ze huilde, dat ze op dezelfde manier met haar mondhoeken trok als Estelle. Tegelijkertijd besefte hij hoe lang en koppig hij zijn ogen had gesloten voor Sarita's o zo menselijke zwakte. Hij vermoedde dat hij die zwakte had ontkend om haar te kunnen blijven mystificeren als vrouw, en zijn slechte geweten daarover maakte dat hij vlug de onbehaaglijke parallellen met Estelle verdrong. Hij ging gewoon door met nog meer van Sarita te houden dan voorheen, meer dan hij ooit van een ander had gehouden.

Lang kreeg algauw genoeg van het dwangmatige en vernederende ritueel alle kasten te doorzoeken, angstige blikken op de binnenplaats te werpen en dan de veiligheidsketting op de deur te doen. Hij vroeg Sarita onomwonden: had Marko een sleutel van het appartement of niet? Sarita ontweek zijn blik en ging verder met het uitruimen van de afwasmachine, en Lang interpreteerde haar stilzwijgen als een 'ja'. Nog diezelfde week dreef hij met grote vastberadenheid door dat er een nieuw deurslot kwam. Hij belde zelf de slotenmaker en vroeg hem niet alleen het hoofdslot te vernieuwen maar ook een extra veiligheidsslot aan te brengen, en hij hield zelf toezicht op de werkzaamheden op een middag dat Sarita in de studio aan het werk was. Sarita protesteerde met geen woord tegen het project, maar ze leek evenmin erg opgelucht; de eerste nacht met de nieuwe sloten – wat tegelijk ook de eerste nacht sinds lange tijd zonder veiligheidsketting was – transpireerde Lang overvloedig en hij had moeite in slaap te komen, en in een moment van zwakte bedacht hij dat Sarita's onverschillige houding misschien een teken was dat Marko een man was die welk slot dan ook forceerde.

Op een woensdag in het midden van maart nam Lang een uitzending van *Het Blauwe Uur* op waarin de jeugdcultuur centraal stond. *Het Blauwe Uur* bestond altijd uit twee delen. In het eerste halfuur ontving Lang twee of drie gasten die onder zijn leiding met elkaar praatten over een van tevoren vastgesteld, breed onderwerp, terwijl Lang in de tweede helft van het programma naar beste kunnen probeerde door te dringen tot het leven en werk van één enkele, zorgvuldig geselecteerde gast. Het uur werd vervolgens afgesloten met een drie minuten durende, sarcastische monoloog over een actuele gebeurtenis die Lang – staand – voor de camera hield. Deze woensdag zou Lang eerst praten met de filmsterren Irina Björklund en Laura Malmivaara over hoe het was om seksscènes op het witte doek te doen, en na de pauze zou hij zich wijden aan de pokdalige zanglegende Dave Lindholm. Het publiek bestond uit leerlingen van een beroepsopleiding in Esbo en literatuurstudenten van de universiteit van Helsinki. Alles verliep volgens plan. Langs introductie was een van de meest gloedvolle sinds lange tijd, en het flirterige en lichtelijk dubbelzinnige gesprek met Björklund en Malmivaara verliep soepel en ongedwongen.

Maar toen was er een korte pauze in de opname. De hele studioruimte werd verlicht door felle schijnwerpers, en Lang en zijn beide gasten konden nu het publiek – tijdens de opname slechts zwarte silhouetten aan kleine restauranttafeltjes voor het podium – zien. Terwijl Björklund en Malmivaara bevrijd werden van hun microfoons en opstonden om plaats te maken voor de zanger Lindholm, liet Lang kalm en geroutineerd zijn blik over het publiek glijden, en opeens keek hij recht in Marko's koude, grijze ogen.

Lang raakte in paniek. Zijn oude dwanggedachte over de stalker dook weer op: nu zou hij doodgaan, en degene die de daad zou uitvoeren, was Marko natuurlijk. Tegenstrijdige impulsen vochten om de heerschappij over Lang. Hij wilde de opname onmiddellijk beëindigen onder het mom van acute onpasselijkheid. Hij wilde Marko ontmaskeren, hij wilde opstaan uit zijn presentatorfauteuil en wijzen op de ongenode gast en roepen: 'Daar is degene die mijn geliefde mishandelt en misbruikt, kan iemand de politie bellen!' Hij wilde V-P Minkkinen en het hele team bij zich roepen om te vragen wiens verantwoordelijkheid het was ervoor te zorgen dat er geen onbevoegden infiltreerden in het studiopubliek, en hij wilde ze allemaal uitschelden. Maar Lang deed niets van dat alles. In plaats daarvan maakte hij de opname af zoals gepland, maar hij was afwezig en ongeconcentreerd toen hij Dave Lindholm interviewde, en hij was bleek en gespannen en haperde meermalen tijdens de afsluitende monoloog die ging over wat een pseudo-gebeurtenis de millenniumhysterie achteraf bleek te zijn, nu er bijna drie maanden van het jaar 2000 waren verstreken.

Toen de opname klaar was en de studio weer in het licht baadde, keek Lang nerveus naar de plek waar Marko had gezeten: die was leeg. Hij riep Minkkinen bij zich en bitste gespannen dat er een onbevoegd manspersoon in het publiek had gezeten, en dat hij meteen de volgende ochtend een afspraak met de verantwoordelijken wilde om zich ervan te verzekeren dat dit niet weer zou voorkomen. 'Hoe weet je dat die kerel onbevoegd is?' vroeg Minkkinen, en Lang stokte even – waarom zou Marko geen leerling aan de beroepsopleiding in Esbo kunnen zijn of letteren studeren aan de universiteit van Helsinki? Maar hij kwam algauw tot de conclusie dat geen van beide opties erg waarschijnlijk was. 'Geloof me, ik weet het zeker', zei hij tegen Minkkinen, waarna hij zich op zijn hakken omdraaide en met knikkende knieën naar de kantine liep. Daar dronk hij een kop thee en at een boterham en voelde zich vernederd en gebroken. De studio waar *Het Blauwe Uur* werd opgenomen was Langs rijk op aarde; nu hij geen romans meer schreef, geen eigen fictieve werelden meer schiep, was de studio met zijn theatrale en wisselende belichting en voortdurende stroom van gasten die elkaar aflosten in een eindeloze kringloop, de enige plek in de wereld waar híj heerste, waar hij en niemand anders de hoofdpersoon was en over wiens nukken en vorm iedereen zich zorgen maakte. En nu waren die grenzen geschonden, nu was het zelfbeschikkingsrecht van Langland in twijfel getrokken en de zwakke plek in zijn verdediging blootgelegd! Lang nam de lift naar de parkeergarage, nog steeds diep verontwaardigd. Hij ging achter het stuur van de Celica zitten, stak achteruit de parkeerhaven uit, zette de auto in de eerste versnelling en wilde juist een dot gas geven om de oprit op te rijden, toen hij een haastige beweging rechts van de auto zag; het volgende moment werd het voorportier geopend en Marko gleed op de passagiersstoel, geluidloos en soepel, en hij zei: 'Ik moet naar het centrum, Lang. Je kunt me zeker wel een lift geven?'

Het regende. De eerste minuten, terwijl ze Östra Böle verlieten en over Nordenskiöldsgatan naar Tölö reden, werd Lang volkomen beheerst door angst en hij kon geen woord uitbrengen. Marko zei ook niets, hij zat in zichzelf te neuriën en klakte af en toe tevreden met zijn tong. Toen ze bij het Auroraziekenhuis stilstonden voor het stoplicht, zei hij langzaam en naden-kend: 'Dus je hebt haar een ander slot laten nemen, hè, Lang?' Marko's stem deed Lang inwendig huiveren, maar hij beheers-te zich en vroeg zo rustig mogelijk: 'Wat wil je, Marko? Wat wil je eigenlijk van Sarita? En wat wil je van míj?' 'Ik ben de vader van Miro,' zei Marko, 'en ik ben Sarita's man. Ben ik niet degene die de vragen moet stellen?' Hij liet een kunstmatige pauze vallen en imiteerde vervolgens Langs toonval: 'Wat wil je, Christian? Wat wil je eigenlijk van Sarita?' 'Wat een onzin,' zei Lang kwaad, 'je bent haar man niet. Jullie zijn gescheiden.' 'Een papieren besluit!' snoof Marko vol verachting. 'Je bent schrijver, Lang, jij zou toch moeten weten hoe weinig ritse-lende formaliteiten wegen vergeleken met verlangen, vlees en bloed.' Lang zweeg; even was alleen het monotone gezwiep van de ruitenwissers en het lage gebrom van de sterke auto-motor te horen. 'Ik vind dat het tijd is dat we elkaar leren kennen, jij en ik', vervolgde Marko op luchtige toon. 'Ik had niet gedacht dat je naar haar terug zou gaan na wat er in augustus is gebeurd. Maar dat deed je wel, Lang. Daarmee heb je me verrast.' 'Ik weet wat je haar aandoet, Marko', zei Lang toonloos. 'Is dat zo', zei Marko onbekommerd. 'Dat is dan mooi, want ik weet dat niet.' Ze reden in stilte over Mannerheimvägen, voorbij de tramremise en de oude beurs-hal en het operagebouw. Lang probeerde zich te concentreren op het spitsverkeer maar voelde voortdurend de fysieke drei-ging, de negatieve energie die knetterde en vonkte in Marko. 'Ze zeggen dat je afgedaan hebt, Lang,' zei Marko glimlachend toen ze voor het Nationaal Museum voor het stoplicht ston-den, 'ze zeggen dat je afgedaan hebt en dat *Het Blauwe Uur* wordt stopgezet.' 'Welke zé beweren dat?' vroeg Lang en hij probeerde dezelfde ironische en vederlichte toon aan te slaan als zijn tegenstander. 'O, dat heb ik gehoord in de stad', zei Marko onbewogen en hij voegde er meteen aan toe: 'Je zou mij als gast moeten hebben, Lang. In het tweede deel, waar je de diepte in gaat. Ik heb het een en ander meegemaakt, zie je. Ik heb veel te vertellen.' 'Ja ja,' zei Lang zo spottend mogelijk, 'en waarover dan wel?' 'Ik heb oorlog meegemaakt', antwoordde Marko. 'Ik heb gedood, Lang. Zowel mannen als vrouwen. En jij? Vervangende dienst in een ziekenhuis in de jaren tachtig, zeker?' 'Laat me met rust', zei Lang scherp en hij draaide de busbaan op, gaf geïrriteerd gas en reed het parlementsgebouw voorbij. 'Jij kwam terug met de staart tussen je benen. Ze moesten je niet. Te gestoord. Sarita heeft het verteld.' 'O ja, heeft ze dat', glimlachte Marko. 'En jij weet zeker dat ze de waarheid vertelt? Is het nooit in je opgekomen dat ze dingen mooier maakt dan ze zijn, om 's nachts beter te kunnen slapen? Want natuurlijk wil Sarita niet dat de vader van haar enige kind een moordenaar is, hè Lang, dat wil ze toch zeker niet.' Lang schudde bedrukt het hoofd, maar hij zei niets. Hij remde voor rood op de kruising bij Forum en Marko opende zijn portier en zei: 'Ik stap hier uit. Bedankt voor de lift, Lang.' Hij sprong lenig uit de Celica, glipte tussen twee auto's door en verdween in de drukte van Simonsgatan.

19

Toen Lang diezelfde avond aan Sarita vertelde wat er was gebeurd, wilde hij dat ze hem zou troosten en zou zeggen dat het niets ernstigs was, dat Marko alleen een beetje wilde plagen. Maar in plaats daarvan reageerde Sarita geschrokken en grillig. Ze vroeg Lang keer op keer het verhaal opnieuw te vertellen, en ze stelde ontelbare vragen over hoe Marko zich had gedragen en hoe hij had geklonken en wat hij precies had gezegd; alsof ze meende allerlei nieuwe, voor Lang verborgen betekenissen te kunnen extraheren uit deze gebeurtenis waar ze zelf niet bij was geweest. Lang besefte dat Sarita net zo bang was als hij, of misschien nog banger, en door dat inzicht groeide zijn eigen angst nog meer.

Ondanks alle informatie die ik in de loop der tijd heb verzameld, en ondanks al het denkwerk dat ik aan dit verhaal heb besteed, vooral aan het begrijpen van Langs beweegredenen, verbijstert het me nog steeds dat hij zich die laatste lente niet resoluter heeft teruggetrokken. Sarita's beste vriendin Kirsi had hem duidelijk te verstaan gegeven zijn eigen huid te redden. Marko's niet aflatende aanwezigheid in Sarita's leven werd steeds duidelijker, zijn houding tegenover Lang steeds dreigender. Ook Sarita signaleerde steeds vaker en steeds verdrietiger dat ze aan het eind van haar krachten was en dat er eigenlijk geen hoop meer was voor de liefde tussen haar en Lang. Toch bleef Lang haar in vertrouwen nemen en met haar slapen, lange tijd nadat alle voorwaarden voor een goede relatie tussen hen teniet waren gedaan. Misschien verbeeldde hij zich onbewust dat zijn nationale beroemdheid hem beschermde tegen verdriet en rampen, net zoals echt beroemde of echt rijke mensen zich soms inbeelden dat ze geen aids kunnen krijgen of niet opgepakt kunnen worden voor de misdaden die ze hebben begaan.

Daarmee is niet gezegd dat Lang er volledig van afzag om maatregelen te nemen dat voorjaar. Hij had zo graag, schreef hij me bitter vanuit de gevangenis, zeker willen weten dat alleen Sarita, Miro en hij sleutels hadden van het nieuwe deurslot dat hij op Helsingegatan had laten aanbrengen. Maar die zekerheid had Lang niet, en daarom bleef hij niet meer bij Sarita slapen. In plaats daarvan ontmoetten ze elkaar overdag, ze lunchten een paar keer per week samen en gingen daarna, voorzover Sarita erin geslaagd was een paar uur vrij te krijgen van haar werk in de studio, naar het appartement aan Skarpskyttegatan en bedreven de liefde in Langs bed. Maar in mei verzekerde Sarita hem herhaaldelijk dat Marko weer in het buitenland was, dit keer voor langere tijd. Deze verzekeringen dempten Langs angst enigszins, en ze begonnen elkaar vaker te zien. Op een meinacht verlieten ze een kroeg in het centrum en liepen langs het spoorwegemplacement en over Fågelsången naar Sarita's huis. Het was koud; Lang zag achteraf duidelijk voor zich hoe de rook dik en wit boven de schoorstenen van de krachtcentrale in Sörnäs stond, net alsof het winter was. Maar de nachtelijke hemel was niet langer winters zwart maar indigoblauw, en opeens trok Sarita hem naar zich toe en ze bleven staan op het wandelpad langs de oostelijke oever van Tölöviken en kusten elkaar. Ze bleven een poos zo staan, ze stonden midden in het hart van de stad, aan alle kanten omringd door haar centrale bakens. Finlandiahuset, het parlementsgebouw, het Museum voor Moderne Kunst Kiasma, Sanomahuset, de Grote Kerk, het gebouw van de arbeidersbeweging, de Berghällskerk, de Stadiontoren; de hele stad, haar heden en verleden, omsloot hen, maar Lang voelde alleen de vochtige hitte en de zoete alcoholsmaak in Sarita's mond en de koppige warmte en polsslag van zowel haar lichaam als het zijne. En opeens herinnerde hij zich exact hoe de monden van tienermeisjes smaakten: kauwgom, tabak, zoete likeurtjes en lippenbalsem met kersensmaak. Door zijn hoofd flitste het beeld van Anni zoals ze eruit had gezien tijdens hun eerste ontmoeting. Het was in januari, het was koud, Anni en hij waren negentien jaar en hadden afgesproken in een sjofele bar in Glaspalatset. Een enorme witte sjaal was nonchalant een paar keer om Anni's hals gewikkeld, en ze droeg een spijkerbroek die zo strak zat dat het leek alsof ze erin gegoten was. Maar opeens verbleekte het oude beeld van Anni, en Lang herinnerde zich Sarita's verhaal over hoe Marko en zij in de sneeuw met elkaar vrijden. Jaloezie begon in hem te smeulen en verhoogde zijn begeerte zo dat hij Sarita harder kuste en in haar onderlip beet: een golf van genadeloze, jeugdige levenshonger stootte door Langs lichaam en hij wilde tegen Sarita zeggen dat ze moesten gaan liggen, gewoon daar waar ze stonden, op het vergane riet van het jaar ervoor dat opgehoopt lag langs de oever, om met elkaar te vrijen in de frisse voorjaarsnacht, omgeven door het doffe rumoer van de stad. Maar hij zei niets. In plaats daarvan hield hij op met kussen en drukte Sarita zonder een woord te zeggen nog dichter tegen zich aan, zodat haar hoofd tegen zijn schouder kwam te rusten.

Op een woensdagmiddag eind mei nam de door mythes omsponnen zendereigenaar Meriö contact op met Lang. Het contact werd tot stand gebracht door een chagrijnige V-P Minkkinen, en hield in eerste instantie slechts een dringend verzoek in aan Lang om vlug iets van zich te laten horen op een bepaald e-mailadres. Minkkinen wist te vertellen dat het adres van een van Meriö's vele privé-secretaresses was, en Lang werd ongerust. Hij kende Meriö niet persoonlijk – ze hadden elkaar slechts vluchtig ontmoet tijdens een cocktailparty een aantal jaar geleden – en daarbij had Lang net de een na laatste, volgens eigen zeggen volkomen mislukte, opname van *Het Blauwe Uur* voltooid; hij verwachtte op dat moment dus geen complimentjes, en al helemaal niet van Meriö. Maar tot zijn verbazing bleek Meriö hem te willen uitnodigen voor een diner de dinsdag daarop.

Lang antwoordde dat hij de uitnodiging aannam en van plan was met de auto te komen, en op dinsdagochtend kreeg hij per e-mail een routebeschrijving naar een villawijk in Esbo. Onderweg stopte hij bij een tankstation in Ängskulla om te tanken. Op de tv in de cafeteria was net een herhaling te zien van de jongste aflevering van *Het Blauwe Uur*. Lang bleef in een hoekje stiekem staan kijken, en zag dat het inderdaad was zoals hij tijdens de opname had vermoed: eerst slaagde hij er niet in twee dansers openlijk over hun homoseksualiteit te laten praten, en vervolgens lukte het hem nog minder de nieuwe president-gemaal Arajärvi zijn rol te laten analyseren en de plichten en mogelijkheden die deze met zich meebracht.

De buurt waar Meriö woonde, lag achteraf en was gebouwd voor de schatrijken: een handjevol straten met paleisachtige villa's, verscholen achter zilversparren en hoge muren, bewaakt en beveiligd door videocamera's en op afstand bediende toegangspoorten. Lang wachtte voor de gesloten poort, en na een poosje dook er een man in pak op die om zijn legitimatie vroeg. Vervolgens ging het hek open en Lang reed de paar honderd meter naar Meriö's villa. Hij werd ontvangen door een jonge, efficiënte vrouw en registreerde meteen hoe stil het was in het huis, maar pas toen ze hem naar de eetzaal had geloodst, begreep hij dat het alleen om hem en Meriö ging: de tafel was gedekt voor twee.

Meriö's al grijzende haar was lang en in zijn nek in een staartje gebonden, alsof de multimiljonair wilde laten zien dat hij diep vanbinnen nog een hippie was. Zijn handdruk was stevig en hij zei meteen dat hij wilde dat Lang en hij elkaar zouden tutoyeren. Hij was informeel gekleed in een gebleekte spijkerbroek en grove wandelschoenen, maar zijn colbert zag er exclusief uit en zijn polshorloge had, schatte Lang, 20.000 markka of meer gekost. Terwijl ze op het voorgerecht wachtten, maakte Meriö van de gelegenheid gebruik Lang te complimenteren met zijn romans: ze waren, zei de zendereigenaar, als raadsels of rebussen; ze zaten vol zijsporen en doodlopende steegjes maar waren paradoxaal genoeg toch toegankelijk dankzij de rauwe zinnelijkheid waarmee ze waren doorspekt en die de lezer greep, hoewel deze eigenlijk niet – op dat punt wilde Meriö volkomen eerlijk zijn – begreep waar de romans over gingen. Lang bedankte Meriö voor zijn oordeel en vroeg vervolgens of hij zo nieuwsgierig mocht zijn te informeren naar de reden van de uitnodiging voor een etentje, die precies kwam op het moment dat *Het Blauwe Uur* zou worden stopgezet. Meriö glimlachte flauw over Langs beleefdheidsfrases, maar zijn glimlach verbleekte snel en hij zei: 'Juist daarom, Christian. Ik wilde je ontmoeten en spreken voordat onze wegen zich scheiden, waarschijnlijk voor altijd. Ik ben namelijk de mening toegedaan dat je iets heel, heel groots had kunnen worden.' Hij laste een kunstmatige pauze in, alsof hij wilde dat Lang iets zou antwoorden, invullen, protesteren, vragen misschien: 'Nou, ben ik dat dan niet geworden?' Maar toen Lang zweeg, vervolgde Meriö terwijl hij begon te kauwen op een van de gemarineerde zeekreeftstaarten die een jonge serveerster zojuist voor hen had neergezet: 'Ik moet er misschien aan toevoegen dat ik je lang en nauwgezet heb gevolgd. Ik ben bestuurslid en mede-eigenaar van de uitgeverij die je boeken in het Fins uitgeeft, dus ik had je al in de gaten voordat je presentator werd. En om antwoord te geven op de vraag die je zojuist niet durfde te stellen: nee, je hebt niet echt aan mijn verwachtingen voldaan. Maar proef nu eens van de wijn, Christian! Ze komt van een hooguit gemiddelde wijngaard, maar het is een goed jaar. En eet! Het is weliswaar cateringvoer, mijn kok is op vakantie, maar het komt van een klein familiebedrijf dat altijd goed werk levert.' Lang tilde rustig een zeekreeftstaart van zijn bord op en zei: 'Als je A zegt, moet je ook B zeggen, Rauno. Ik wil dat je uitlegt in welk opzicht ik je heb teleurgesteld.' Hij laste op zijn beurt een kunstmatige pauze in, en voegde er vervolgens met bijtende ironie aan toe: 'En ik wil graag weten hoe jíj mijn literaire doorbraak hebt bewerkstelligd.' Meriö keek Lang geamuseerd aan, en hij dacht geruime tijd na voordat hij antwoordde. 'De verklaring is nogal simpel', zei hij toen. 'Je bent er niet in geslaagd de stap naar de nieuwe eeuw te maken. Je blijft hangen in oud gedachtegoed. Het kan zijn dat we een fout maken door tegenwoordig alles af te meten in snelheid en geld, het kan zijn dat we schade berokkenen wanneer we jeugdigheid en slagvaardigheid huldigen en ervaring beschouwen als een handicap. Het is heel goed mogelijk dat we in een periode van cultureel verval leven. Maar we hebben geen andere keus dan de heersende structuren en massapsychologie te omarmen. Alles ontmantelen zou een ongelooflijke hoeveelheid geld kosten en ook een enorme verspilling betekenen van menselijk talent en technische mogelijkheden. We moeten ons op een verstandige manier opstellen tegenover de heersende realiteit, Christian, en ik denk niet dat de juiste manier is via het beeldscherm te proberen iedereen, van de minister-president tot de nieuwste technoster, ervan te overtuigen dat vroeger alles beter was.' Lang kauwde nadenkend op zijn zeekreeftstaart en vroeg: 'Dus dat is wat je vindt dat ik doe, zeuren?' 'De laatste twee seizoenen wel, ja', antwoordde Meriö. 'Je bent niet meer bestand tegen de druk. En wat je andere vraag betreft, over je literaire doorbraak... laten we zeggen dat ik ook binnen de roddelpers grote belangen heb. Er zijn veel journalisten die zich niet te goed voelen voor een kleine hint van mijn kant.'

Terwijl ze het hoofdgerecht nuttigden, voortreffelijk bereide tarbotfilets met een dure maar tamelijke zoete chardonnay erbij, veranderden ze van gespreksonderwerp en praatten over koetjes en kalfjes en actuele problemen, zoals de toenemende drugstransporten naar Finland vanuit het oosten. De jonge serveerster vulde royaal de glazen bij, en het werd Lang algauw duidelijk dat hij zijn Celica niet naar huis zou kunnen rijden. Pas bij het nagerecht, een crème brulée met een korstje dat precies op de juiste manier gebrand en krokant was, kwam Meriö terug op het onderwerp Christian Lang en de verwachtingen die hij had gewekt en niet had waargemaakt. 'Ik hoop dat je niet gekwetst bent door mijn openhartigheid van zojuist, Christian', zei hij. 'Maar elk fenomeen heeft zijn tijd aan de top en jouw tijd is voorbij, daar wil ik niet omheen draaien. Bovendien wil ik weten waardoor je veranderd bent, ik heb geprobeerd je te provoceren en aan het praten te krijgen. Maar daar ben ik niet in geslaagd.' 'De verklaring is nogal eenvoudig', glimlachte Lang en hij kauwde op een groot stuk crème brulée zodat de korst kraakte tussen zijn tanden. 'Ik hou niet meer van de wereld die wordt bezeten en geregeerd door mensen zoals jij. Het is een wereld waarin alleen gladiatoren en krijgers zich nuttig kunnen voelen. Het is een dictatuur. We worden verondersteld allemaal, állémáál, de arena te betreden en de markteconomie te begroeten met een nederig "keizer, wij die op een dag zullen sterven, aanbidden u". Alle grote wereldsteden zitten vol getalenteerde mensen die niets anders doen dan het produceren en consumeren van onnodige waren en geestdodend vermaak. Het is zo verdomde triest allemaal!' Toen Lang zweeg, zag hij Meriö weemoedig en in zichzelf gekeerd glimlachen. 'Ach ja,' zuchtte de zendereigenaar na een paar seconden stilte en hij gebaarde naar de serveerster de serveerboy met cognac, whisky en likeur naar hen toe te rijden, 'je doet me denken aan mijn eigen jeugd, Christian. Ik was namelijk een van de actievoerders, een korte tijd weliswaar, maar…' Meriö's stem ebde weg en hij verzonk in gedachten. Lang wachtte af. Na een poosje keek de zendereigenaar op, vestigde zijn blik op zijn gast en zei: 'Je vindt dus dat het te snel gaat? Je wilt afhaken?' 'Ja,' antwoordde Lang, 'ik wil afhaken.

Ik wil iets anders. Ik wil alles behalve deze haast, deze waanzinnige jacht op absoluut niets. Ik wil mijn vermoeidheid en twijfel leren aanvaarden. Ik wil leren niet langer snel en hard en wreed te zijn.' 'Dat zijn achtenswaardige doelstellingen', zei Meriö en hij bestudeerde zorgvuldig een verzegelde fles calvados die hij van de serveerboy had gepakt. Hij keek Lang nadenkend aan en voegde eraan toe, terwijl hij de serveerster de fles aanreikte en haar gebaarde deze open te maken: 'Maar het is niet zo makkelijk om eruit te stappen als je misschien denkt.'

Een van Meriö's werknemers reed Lang naar Skarpskyttegatan in een Volvo S80, om twee uur 's nachts. Toen Lang wakker werd, was het al middag, en hij had hoofdpijn van veel te veel wijn en calvados en whisky. De sleutels van de Celica lagen op zijn deurmat en ernaast lag een briefje waarop exact was aangegeven waar de auto geparkeerd stond.

Een paar uur later nam Lang de laatste uitzending in de geschiedenis van *Het Blauwe Uur* op. Hij zag bleek en vermoeid, maar was net zo beheerst en bekwaam als altijd. Zijn gasten in het eerste deel van het programma waren de minister van Buitenlandse Zaken Tuomioja en een geschiedkundig veteraan uit de tijd van de Koude Oorlog; ze discussieerden over de vraag of Finland het risico liep in de toekomst in net zo'n onderdanige positie terecht te komen ten opzichte van de Europese Unie of de Verenigde Staten als tijdens Langs – en mijn – kinderjaren ten opzichte van de Sovjet-Unie. Langs allerlaatste gast was de zanger en tekstschrijver J. Karjalainen, die net een nieuwe cd had uitgebracht. Lang bouwde knap bruggetjes naar het gesprek van voor de pauze, en Karjalainen en hij praatten lang over de merkwaardig dualistische wereld waarin ze waren opgegroeid, een wereld waarin veel kinderen en tieners kleine Amerikaantjes waren terwijl het land waarin ze woonden zich uitgaf voor de goede buur en nabije vriend van de Sovjet-Unie. Alles verliep volgens plan, en het was pas in de allerlaatste minuten van de bijna zevenjarige geschiedenis van *Het Blauwe Uur* dat Lang zichzelf toestond de regie een beetje los te laten. Want toen hij het gesprek met J. Karjalainen had afgerond en de kijkers had bedankt voor hun steun en respons tijdens de zeven seizoenen, stond hij op en liep met vaste tred naar een van de camera's voor zijn slotmonoloog, en daarin was geen spoortje van de sarcastische toon waarin hij zo vele jaren had uitgeblonken. In plaats daarvan werd Langs laatste monoloog een verkapte groet aan de zendereigenaar Meriö en zeker ook aan V-P Minkkinen. Zonder met zijn stem te trillen hield hij een drie minuten durend pleidooi voor empathie, reflectie en emotionele diepgang, en de redevoering eindigde ermee dat Lang zich afvroeg wat zijn eigen verantwoordelijkheid was voor een mediawereld die zelfs van degenen die biologisch gezien volwassen waren, ongeduldige kinderen had gemaakt.

20

Op een late avond in het midden van juli kwam Lang aanlopen over Skillnaden. De regenachtige en grijze middag was eerst overgegaan in een winderige schemering en daarna langzamerhand in een kille nacht, terwijl hij van het ene etablissement naar het andere was gezworven en in elke gelegenheid een glas wijn, en tegen het eind ook een zoete amandellikeur had genuttigd. Lang rilde: de zomer, de eerste van het millennium, was in alle opzichten kil. Deze week zat Sarita samen met Kirsi in Stockholm en Miro was naar het zomerhuisje van zijn oma in Virdois. De week ervoor had Lang met Sarita en Miro in een ander zomerhuisje doorgebracht, een gehuurd huisje aan een meer bij Saimen, maar het was geen succes geweest. Miro werd in zijn nek gestoken door een wesp en Sarita had geklaagd dat Langs handen vochtig en koud aanvoelden wanneer hij haar aanraakte. Hij had Sarita zoals altijd begeerd, maar hij kon voor zichzelf niet langer ontkennen dat wat er het laatste jaar was gebeurd haar in zijn ogen gewoner had gemaakt, vermoeider, meer opgebruikt.

Boven op Skillnadsbacken draaide hij zich om en keek uit over Mannerheimvägen. De noordenwind was koud en schraal, op het dak van Stockmann klapperden drie vlaggen, de duisternis was al ingezet maar de hemel was nog licht en melkachtig. Lang voelde zich op zijn plaats; hij had de stad altijd mooi gevonden op een koele en afgewende manier, en hij wist dat hij Helsinki exact zo in zijn herinnering zou bewaren als hij ooit uit de stad zou vertrekken, met verlaten klapperende vlaggen en een wind die ook midden in de zomer, wanneer de nachten het lichtst waren, door merg en been ging.

Een paar minuten later stak Lang Bangatan over en liep over Skepparebrinken naar Femkanten. Daar sloeg hij linksaf en bokste tegen de felle wind door Skarpskyttegatan omhoog. In het centrum was het ondanks de kou druk geweest, maar de steile Skarpskyttegatan was nagenoeg verlaten; alleen een eenzame nachtwandelaar in trainingsbroek en sweatshirt stond naar een etalage te kijken. De etalage was van een antiquariaat dat Lang zeer laag achtte, en hij had de neiging de persoon te vragen waar hij naar stond te kijken. Maar hij passeerde stilzwijgend op een armlengte afstand, en pas nadat hij een paar passen verwijderd was en de man hoorde sissen 'Hallo daar, Lang, ik heb op je gewacht!' begreep hij dat de etalagekijker Marko was. Lang huiverde van schrik maar weerstond de impuls te gaan rennen. Hij bleef staan en draaide zich om. 'Wat wil je van me, Marko?' vroeg hij met toonloze stem. 'Altijd diezelfde vraag! En dat terwijl we elkaar zo weinig zien!' zei Marko opgewekt en hij vervolgde: 'Het wordt tijd dat we samen eens een borrel drinken. Ik trakteer! Of geef je de voorkeur aan een glas bij jou thuis? Dat is hier in deze straat, hè?' 'Dan nodig ik nog liever een schorpioen uit,' mompelde Lang zachtjes, 'daarvan weet ik tenminste wat ik eraan heb.' Hij hoopte dat zijn acteertalent zijn angst zou verbloemen, en vervolgde zo kortaf mogelijk: 'Waar wil je heen?' Marko haalde nonchalant zijn schouders op. 'Maxill?' vroeg hij toen. 'Nee,' zei Lang, 'dat is zo'n vreselijk aquarium.' 'Met andere woorden: je schaamt je ervoor daar met mij gezien te worden', grijnsde Marko. 'Je denkt er maar van wat je wilt', zei Lang vermoeid en hij begon naar Femkanten te lopen. Marko liep met hem op en vroeg op vriendelijk converserende toon: 'En, hoe was de vakantie?' 'Welke vakantie, verdomme?' mopperde Lang. 'Nou, die je doorgebracht hebt bij Saimen', zei Marko. 'Dat was geen succes,' zei Lang, 'maar dat wist je waarschijnlijk al.'

Ze gingen naar kelderbar Temppeli op de hoek van Ulrikas-borgsgatan en Högbergsgatan. Ze zaten er krap een uur toen de bar dichtging. In dat uur wist Marko te onthullen dat hij Lang al in de gaten hield sinds zijn eerste nacht bij Sarita. Hij vroeg of Lang zich herinnerde hoe hij, Marko, voorbij was gelopen toen Lang in Helsingegatan had staan wachten om te worden binnengelaten, die avond bijna twee jaar geleden. Hun blikken hadden elkaar ontmoet, volgens Marko, was Lang dat echt vergeten? Lang zocht in zijn geheugen. Hij herinnerde zich dat het een koude zomer was geweest, nog kouder dan deze. Hij herinnerde zich dat hij de Celica die avond had thuisgelaten en de tram had genomen, hoewel hij er een hekel aan had dat de mensen hem herkenden en aanstaarden. Hij herinnerde zich dat hij bezeten was van de gedachte aan Sarita, de herinnering aan haar diepe navel die hij op en neer had zien gaan toen ze op zijn bank had liggen slapen. Maar een Marko die voor Sarita's buitendeur had gestaan en zijn blik had ontmoet, kon hij zich absoluut niet herinneren. Dat deelde hij Marko mee. Marko nam een slok bier en zei nadenkend: 'Van de winter stond ik een keer in Sarita's trappenhuis en zag jullie elkaar omhelzen voor de open deur. Dat zag er echt mooi uit. Idyllisch. Daarna heb je het slot laten veranderen, Lang. Dat was niet aardig van je.' Lang probeerde zijn blik te vangen, maar slaagde er niet in. 'Waarom doe je zo, Marko?' vroeg hij toen maar. 'Waarom gedraag je je zo?' Marko keek voor zich uit en zei: 'Dat is heel simpel, Lang. Ik hou mezelf niet voor de gek zoals jij.'

Het volgende uur brachten ze door in een biercafé op Stora Robertsgatan – toen Lang deze nacht voor me beschreef, wist hij de naam van de kroeg niet meer – en daarna, om een uur of drie, stonden ze op elkaar gepakt in de propvolle bar van Lost&Found. Midden in zijn dronkenschap bedacht Lang dat Marko en hij vijanden en rivalen waren, maar toch zou na die nacht het gerucht door de stad gaan dat hij, Lang, een homoseksueel was die nog niet uit de kast was gekomen en een verhouding had met een jongere man. Op hetzelfde moment dat Lang dit dacht, glimlachte Marko en hij zei: 'Omdat iedereen hier ervan uitgaat dat we mietjes zijn, iets wat ze uiteraard interessant vinden aangezien jij een bekend persoon bent, stel ik voor dat we het volgens het boekje doen en naar jouw huis gaan. Want je hebt thuis toch nog wel iets onder de kurk, Lang? Ik beloof je dat ik je niet zal verkrachten.' Lang keek naar zijn nieuwverworven drinkmakker en zei: 'Ik ben niet gek, Marko. Wat heb je bij je? Een stiletto? Een pennenmesje? Een klein pistool, misschien?' 'Niets', zei Marko kalm. 'Als ik je zou willen doden, dan deed ik dat met mijn blote handen. En ik zou het al veel eerder hebben gedaan.'

Later, onder andere in zijn vele brieven aan mij, zou Lang vaak reflecteren over hoe bang hij altijd voor Marko was geweest, terwijl hij bijvoorbeeld geen greintje angst voelde voor Rauno Meriö, hoewel deze hem kon verpletteren zoals je een vlieg plet. Maar Lang wist zelf natuurlijk hoe dat kwam: hoewel hij een normale lengte had en lichamelijk sterk was, was hij altijd bang geweest voor juist het fysieke geweld, nooit voor het psychische, sociale of financiële. Tijdens die late uurtjes, toen hij in de keuken bezig was iets te drinken en te eten te pakken en Marko ondertussen in de woonkamer zijn bibliotheek en cd-verzameling inspecteerde, herinnerde hij zich opeens een wintermiddag van jaren geleden. Het was in het appartement waar hij met zijn tweede vrouw woonde. Johan, die toen een jaar of dertien, veertien was, had dat jaar een sleutel gekregen, en die middag was Lang vroeg thuisgekomen en had zijn zoon samen met een paar vrienden halfliggend op de bank aangetroffen in de spaarzaam verlichte woonkamer. Lang herinnerde zich hoe er iets nieuws, iets dréígends had gezeten in de slungeligheid van die al lange, maar nog spichtige lichamen en in de nauwelijks hoorbare begroetingen die vanuit de diepte van de bank gemurmeld werden; en vader of niet, Lang was bang geworden, want hij had de plotselinge aanwezigheid gevoeld van iets oerouds en met testosteron beladen, van een zojuist ontwaakt territoriumbewustzijn en onlangs gewekte begeerte. En toen Lang zich de puber Johan en zijn vrienden herinnerde, besefte hij opeens hoe hij zichzelf voor de gek had gehouden wat betreft Marko. Aangezien Lang zichzelf intellectueel superieur voelde tegenover zijn rivaal had hij de hele tijd, ondanks zijn angst, stug volgehouden Marko als een kind of een halfwassen jongeman te zien, als iemand die zijn wilde haren nog moet kwijtraken en daardoor weerspannig en onhandelbaar, maar in feite onrijp en ongevaarlijk is. Maar in werkelijkheid – begon het Lang nu eindelijk te dagen – was Marko een volwassen man, en bovendien intelligent, ervaren en sluw berekenend.

'Wat bedoelde je toen je zei dat ik mezelf voor de gek hou?' vroeg Lang nadat hij een dienblad met flessen en glazen, ijsblokjes en chips naar binnen had gedragen en in allebei de glazen een stevige whisky had geschonken. Marko zat op de bank en Lang was in een fauteuil tegenover hem gaan zitten. Marko boog zich voorover en pakte een paar ijsblokjes die hij met een luid 'plop' in zijn glas liet vallen en zei toen: 'Alle mensen zijn donker vanbinnen. Ik bedoelde alleen maar dat jij stug volhoudt te doen alsof je aardig bent, terwijl je vanbinnen donkerder bent dan de meeste mensen.' Hij nam een slok uit zijn glas, en toen zijn gastheer niet antwoordde, vervolgde hij: 'Mensen zoals jij zijn lafaards, Lang. Je moet wreed durven zijn om erachter te komen wie je in feite bent. Anders ben je maar half.' Lang wilde Marko antwoorden zoals hij in mei Meriö had geantwoord; hij wilde zeggen dat het onzinnig was om snel en hard en wreed te zijn, dat je jezelf stapje voor stapje van je wreedheid moest bevrijden. Maar hij kreeg de woorden niet over zijn lippen, en misschien viel hij wel stil omdat hij bang was voor Marko's fysieke onberekenbaarheid, voor al het snelle, elektrische en onbevrijde in hem. Dus schudde Lang alleen maar hulpeloos zijn hoofd, terwijl de angst als vloed in hem opkwam. 'Ergens daarbinnen zijn we nog steeds wilde dieren, zie je', doorbrak Marko de stilte. 'In feite functioneren we nog precies zoals onze verre voorvaderen toen ze de sabeltijger tegenkwamen. Er is niets raadselachtigs aan een mens die doodt wanneer hij zich bedreigd voelt.' Lang keek in Marko's grijze ogen en zag dat zijn blik niet langer kil was, maar vurig en intens. Hij voelde een plotse, uiterst onwillige saamhorigheid met de jongeman daar op de bank, en hij vermoedde meteen waarom: de mens vindt geestverwanten met dezelfde antwoorden en meningen als hijzelf vaak dodelijk saai, terwijl hij een paradoxale saamhorigheid kan voelen met opponenten die zich dezelfde fundamentele vrágen stellen als hijzelf. 'Kun je ons niet met rust laten? Kun je Sarita en mij geen kans geven?' vroeg hij zonder Marko met zijn blik los te laten. 'Nee,' zei Marko, 'dat kan ik niet. Ik ben je schaduw, Lang. Je ontkomt me niet.' Lang keek naar de grond en zei zacht: 'Ik wil dat je nu weggaat. Drink je glas leeg en vertrek.' Tot zijn grote verbazing gehoorzaamde Marko; hij leegde in één grote teug zijn whiskyglas en greep zijn sweatshirt, trok het aan en vertrok zonder een woord te zeggen. Pas toen Lang de deur hoorde dichtslaan en Marko's voetstappen over de trap hoorde verdwijnen en langzaam wegsterven, ontspande hij en hij begon meteen ongecontroleerd te beven.

Nauwelijks een week later vertrokken Lang en Sarita met een last-minute aanbieding naar Rome. Lang had de reis geboekt en hij was ook degene die de hele grap betaalde. Waarschijnlijk, meende hij achteraf zelf, was het een wanhopige poging van zijn kant om het bestaan van Marko te verdringen en Sarita voor zichzelf te hebben. Maar het uitje begon slecht. Lang hield niet van vliegen; hij zei altijd dat het tegen zijn natuur was zich over te leveren en geketend en hulpeloos op tien kilometer hoogte in een sigaarvormige metalen kist met duizenden liters lichtontvlambare brandstof te zitten. Wat hij het meest veraf-schuwde, was het gevoel een opgepakt en onbeweeglijk stuk vrachtgoed te zijn, overgeleverd aan onmenselijk hoge snelheid en een verschrikkelijke krachtontwikkeling waar hijzelf op geen enkele manier deel van uitmaakte; Lang voelde altijd een sterke drang om te rénnen wanneer hij in een vliegtuig zat, hij wilde niet stilzitten, hij wilde zélf kracht voortbrengen. De vliegreis naar Rome verliep ontzettend onrustig, en toen ze met veel turbulentie over Centraal Europa vlogen, legde hij deze gedachte voor aan Sarita. Maar zij glimlachte slechts en schudde haar hoofd en keek verrukt uit over Europa vanaf haar plaats aan het raam; Sarita was dol op vliegen.

In Rome probeerden Lang en Sarita elkaar naar beste ver-mogen terug te vinden. Lang had haar niet verteld over de nachtelijke discussie met Marko, en dat was hij van plan zo te houden. Ze deden alles wat je in Rome moet doen. Ze be-zochten de Sint-Pieterskerk en de Sixtijnse kapel; ze gingen naar het Colosseum en het Pantheon; ze zaten op de Spaanse trappen te zonnebaden en ze gooiden lires in de Trevifontein. Ze aten viergangenmenu's bij zonsondergang op de heuvel Gianicolo en in dure restaurants in de wijk rond de Via del Corso, ze brachten een ochtend door op de vlooienmarkt in Trastevere en ze bezochten zelfs een *galleria* waar Sarita Rafaëls portret van *La Fornarina* voor Lang aanwees. Tussendoor vrij-den ze op de hotelkamer, en Lang vond het vreemd om Sarita's oneffen en pas geknipte nek te voelen; ze had vlak voor de vakantie haar haar laten knippen.

Nu werd het Lang ook duidelijk hoezeer hij mentaal uit zijn evenwicht was. Hij had last van achtervolgingswaanzin; zelfs daar in de eeuwige stad meende hij voortdurend een flits van Marko te zien; in de mensenmenigte op de Spaanse trappen, achter een pilaar in de Sint-Pieterskerk, met een kokmuts op in een pizzeria in Trastevere, overal die Marko! Daardoor was het onvermijdelijk dat Lang vroeg of laat zou gaan praten, en op de laatste dag, tijdens een lunch in een pastarestaurant vlak bij Piazza Navona, vertelde hij Sarita over de dronkemansnacht met Marko. Sarita luisterde aandachtig en somber, en toen Lang klaar was, zweeg ze een poosje maar zei daarna: 'Hij is op zoek naar je zwakke punten. Hij speelt een spelletje met je, en hij wil zien wie van jullie twee de sterkste speler is.' Lang keek haar teder aan en stelde toen dezelfde vraag die hij aan Marko had gesteld: 'Maar waarom? Waarom in godsnaam doet hij dit allemaal?' Sarita boog zich over de tafel alsof ze Langs wang wilde strelen, maar op het laatste moment bedacht ze zich en leunde achterover. 'Hij haat je,' zei ze verdrietig, 'en hij haat alles wat jij vertegenwoordigt.' 'En wat is dat dan?' vroeg Lang. 'Wat vertegenwoordig ik?' 'Het is een beetje als met je zuster', zei Sarita nadenkend. 'Estelle haat je, maar ze houdt ook van je. En Marko haat je, maar hij bewondert je ook. Zoals hij het ziet, heb jij alle kansen gekregen en ze ook gegrepen, terwijl hij vindt dat zijn leven verzandt.' 'Het evangelie volgens Marko!' zei Lang en hij probeerde schamper te klinken: 'En jij bent zeker een van de kansen die ik heb gekregen en gegrepen?' 'Ja,' zei Sarita kalm, 'dat ben ik absoluut. En het helpt niet dat ik tegen Marko zeg dat ík jóú heb gekozen, en niet andersom.' 'Wacht eens even...' probeerde Lang te protesteren, maar Sarita onderbrak hem en ze zei ernstig: 'Eén ding moet je goed onthouden, Chrisschjan, Marko is slim. Hij is net zo slim als jij, iedereen die hem kent, zegt altijd dat hij de top had kunnen bereiken als hij maar geweten had...' Ze maakte haar zin niet af, en Lang zei: 'Ik weet dat hij slim is, Sarita. Ik had het niet meteen door, maar nu weet ik het.'

21

Direct na de vakantie in Rome besloten Lang en Sarita om hun liefdesrelatie te beëindigen. Wie er nu uiteindelijk probeerde wie te verlaten doet niet terzake: ze verzekerden elkaar dat het niet mogelijk was een relatie te laten voortbestaan onder deze omstandigheden, en wat ze dachten en voelden vanbinnen wisten ze zelf ook nauwelijks. Lang leverde zijn sleutels van Sarita's appartement in en gaf Miro een afscheidscadeautje, een Playstation-spel dat Tony Hawk's Pro Skater heette. Daarna probeerden hij en Sarita elkaar niet meer te zien, maar bijna dagelijks belden ze elkaar of stuurden e-mails, en Lang vertelde Sarita vaak hoezeer hij haar miste.

Op een middag belden twee geüniformeerde agenten, een man en een vrouw, bij Lang aan. De vrouwelijk agent vroeg of hij Christian Lang was, en toen Lang bevestigend antwoordde, schraapte de politieman zijn keel en vroeg of Lang een man kende met de naam Marko Tuorla. Toen Lang eerst zijn voorhoofd fronste in diepe, peinzende rimpels en vervolgens gedecideerd 'nee' antwoordde, gaf de politieman hem Marko's leeftijd en signalement, waarop zijn collega eraan toevoegde dat ze getuigenverklaringen hadden dat de genoemde Tuorla en Lang samen gesignaleerd waren in verschillende kroegen in Helsinki, plus dat men Tuorla op een middag in maart in het centrum van de stad uit Langs auto had zien stappen. Lang schudde verbaasd het hoofd en zei dat het een misverstand moest zijn, dat hij zich absoluut geen Marko Tuorla kon herinneren of iemand die aan het bewuste signalement voldeed. Maar aan de andere kant, voegde Lang eraan toe en hij glimlachte charmant verlegen naar de politievrouw, aan de andere kant had hij een beroep, of eigenlijk twee, waardoor hij voortdurend in de schijnwerpers stond, en hij werd vaak op straat en in de kroeg aangeklampt door vreemde mensen die even met hem wilden praten. Lang benadrukte dat hij zich met geen mogelijkheid al die vreemde mensen kon herinneren met wie hij enkele woorden had gewisseld, en hij kon natuurlijk niet uitsluiten dat deze – hier deed Lang alsof hij de naam was vergeten, en de politieman vulde hem in – Tuorla zo'n vluchtig contact was geweest. De agenten knikten begrijpend en verontschuldigden zich vervolgens beleefd voor het feit dat ze hem hadden moeten storen. Ze wensten hem nog een prettige dag, en de politieman voegde eraan toe dat hij hoopte dat Lang in de toekomst nog vele geslaagde uitzendingen van *Het Blauwe Uur* zou maken. En terwijl Lang net zo beleefd antwoordde dat het programma helaas was stopgezet, maar dat het misschien in de toekomst werd voortgezet op een andere zender, je wist maar nooit, haalde de politievrouw haar opschrijfboekje tevoorschijn uit de binnenzak van haar uniformjack. Ze bladerde naar een lege bladzij en vroeg glimlachend of Lang misschien zijn handtekening wilde zetten, graag met de toevoeging 'Voor Elina'. De politieman vroeg of Lang zijn handtekening twee keer op aparte blaadjes wilde zetten; de tweede handtekening was voor zijn vrouw, zei hij, ze was een groot bewonderaar van Lang. Lang schreef zijn naam twee keer, en vroeg ondertussen: 'Hoe heet uw vrouw?' 'O, dat hoeft er niet bij,' zei de politieman blozend, 'uw naam alleen is voldoende.'

Een paar dagen later ging Lang op pad voor het jaarlijkse zeiltochtje met oom Harry. Ook dit keer was het vooral Harry die praatte, het meest over Estelle; het ging nu stukken beter met haar, zei hij, waarschijnlijk had ze al die tijd een thúís gemist. Lang knikte, maar zei niets. Harry keek hem onderzoekend aan en vroeg hoe het met Johan ging. Lang antwoordde kort dat Johan het goed maakte; hij was weliswaar teruggekeerd naar Londen maar hij had daar nu een goede baan, hij hield zich verre van zijn vroegere vrienden en op die manier vermeed hij het in aanraking te komen met drugs.

Ze weken dat jaar af van het stramien, Lang en oom Harry; ze kozen een andere route en kwamen daardoor pas de derde avond bij de baai met het donkere water en de lage gewelfde rotsen. Toen kon Lang zijn verlangen niet langer onderdrukken: hij belde Sarita. Miro nam op, hij zei dat Sarita met Kirsi naar de film was. Lang wilde juist vragen wie er op hem paste toen hij een mannenstem op de achtergrond hoorde. De stem, waarvan Lang dacht dat hij van Marko was, zei iets tegen Miro op bevelende toon en toen werd het contact verbroken. Lang belde opnieuw, maar nu klonk de ingesprektoon. Nog een keer: nog steeds in gesprek. Vervolgens belde hij Sarita's mobiele telefoon, maar daar werd hij meteen verbonden met de voicemail. Lang sprak geen bericht in.

Als Lang had geweten dat de ontmoeting met de twee respectvolle politieagenten zo ongeveer de laatste in zijn soort zou worden, zou hij, gaf hij tegenover mij toe, zo veel mogelijk hebben opgesnoven van hun verlegen maar onvoorwaardelijke bewondering. Want nu de herfst begon, werd het hem duidelijk dat hij een in de praktijk werkloos man was. Geen tv-maatschappij had tijdens de zomer contact met hem opgenomen, en hij had ook geen literaire werkbeurs; de laatste keer dat hij er een had aangevraagd, was zeven jaar geleden. In de kranten las hij over V-P Minkkinens nieuwe troetelkindje, een provocerende talkshow waar de presentatoren, een vierentwintigjarige man en negentienjarige vrouw, de interviews min of meer naakt afnamen. Lang besefte pijnlijk duidelijk dat hij had afgedaan. Jarenlang was hij genoodzaakt geweest zijn geheime telefoonnummers om de paar maanden te veranderen, maar nu had hij al bijna een jaar hetzelfde nummer en er belde niemand. Dag in dag uit bleef zijn deurmat

verschoond van enveloppen: geen uitnodigingen voor de film-
premières van die herfst en de uitgeversfeesten, geen uitnodigingen voor de begin-van-het-seizoenfeestjes van de tv-zenders en platenmaatschappijen, geen dineetjes op ambassades
en geen vip-kaart voor nieuwe nachtclubs en gourmetrestau-
rants. Lang begreep dat hij lange tijd in een pseudo-wereld had
geleefd, of liever gezegd in twee: eerst in de wereld die hij
eigenhandig had gecreëerd in zijn boeken, en vervolgens in de
heftige, verleidelijke en hermetisch gesloten tv-wereld die hij
samen met anderen had gecreëerd. Hij was gebrouilleerd met
V-P Minkkinen, hij had zijn relatie met Sarita beëindigd en hij
had bovendien afstand genomen van mij en de studievriend
met wie hij badminton speelde, en hij merkte nu dat hij
nagenoeg geen enkele vriendschappelijke omgang in de
privé-sfeer meer had; sommige dagen, waarop zijn gevoel
voor ironie nog functioneerde, moest hij bijna lachen wanneer
hij besefte hoe eenzaam hij was, terwijl zo ongeveer íedereen
hem kende in dit land waar toch meer dan vijf miljoen mensen
woonden.

Begin september kreeg hij enkele verzoeken van een paar
journalisten van de avondbladen; ze stelden voor hun inter-
view op te bouwen rond probleemstellingen als 'Hoe heb je je
nederlaag ervaren in de strijd om de gunst van het tv-publiek?'
en 'Je midlife bereiken en tegelijkertijd van je voetstuk vallen –
hoe ga je daarmee om?' Lang had voor de interviews bedankt.
Hij probeerde zichzelf voor te houden dat hij nooit om de vip-
kaarten en glamour had gegeven, dat hij maar zelden gebruik
had gemaakt van de privileges en dat de val van de top daardoor
niets betekende. Maar het hielp niet; hij moest erkennen dat
het statusverlies pijn deed, hoewel hij eigenlijk nooit veel
gegeven had om de status zelf.

Toen begonnen de klappen te vallen, en ze kwamen in de
vorm van een reeks verraderlijke vermeldingen waarvan Lang
moeilijk kon geloven dat het toeval was. Het begon met een

klein bericht in de vraagrubriek van *City*, die onder redactie stond van Walter de Camp. Als antwoord op een vraag over louche seksetablissementen in Helsinki werd onder andere een sm-kelder in de buurt van Åstorget genoemd, en Lang werd tussen neus en lippen opgevoerd als een van de bekende personen die gebruikmaakte van de diensten van het etablissement. In werkelijkheid liep Lang vaak langs het sekshol als hij de Celica had geparkeerd en op weg was naar Sarita; zo moest het gerucht ontstaan zijn, redeneerde hij. Maar de vrijdag daarop schreef de weekbijlage van *Helsingin Sanomat* in zijn roddelrubriek 'Flugan' dat men had gezien hoe hij een concert van Sting in het nieuwe voetbalstadion in Tölö in beschonken toestand had verlaten. Ook dat nieuws was niet waar: Lang was een snob wat muziek betreft en hij had sinds het begin van de jaren tachtig niet meer naar Sting geluisterd.

Zulke vreemde, kleine berichten bleven de hele maand september verschijnen. Het meest opzienbarende nieuws – over Langs langdurige liefdesaffaire met Sarita – bleef echter uit. Een roddelblad wist daarentegen te melden dat Lang zich onbeschoft en seksueel intimiderend had gedragen in een parfumerie op het vliegveld Helsinki-Vanda, terwijl hij daar niet meer was geweest sinds hij met Sarita uit Rome was teruggekeerd. Een ander, iets serieuzer weekblad speculeerde over zijn mogelijke alcoholisme onder verwijzing naar 'welingelichte bronnen', die beweerden zich ernstig zorgen over Lang te maken. De week daarop lanceerde een ander blad het bericht dat Lang en een jonger, 'sportief gekleed' manspersoon vaak geziene gasten waren in een van Helsinki's meest populaire ontmoetingsplaatsen voor homo- en biseksuelen. Dat de gelegenheid in kwestie een nieuw en open karakter had en ook veel nieuwsgierige heteroseksuelen trok, verzweeg het blad. Lang zag een soort kromme logica in die laatste aanval, want tegen die tijd was hij er half-en-half van overtuigd geraakt dat de plotselinge, kortzichtige en puur op verzinsels gebaseerde interesse van de media veroorzaakt was doordat Marko een vloek over hem had uitgesproken.

Meer dan vijftien jaar lang, al sinds zijn romandebuut, was Lang door de pers, radio en tv geholpen een beeld van zichzelf te creëren en te polijsten dat hij zelf had gekozen. Toen diezelfde mediawereld hem probeerde te bezoedelen en te breken, ontwaakte hij uit een langdurige droom en doorzag hij eindelijk met heldere en ontstelde blik hoe de mechanismen van de publiciteit werkten. Hij zag opeens hoe hij ingesloten was en in een hokje gestopt, en hij begreep dat hij niet langer vrijelijk verschillende identiteiten kon uitproberen maar *gefixeerd* was op een manier die hem geestelijk klemzette en tot stilstand dwong, alsof hij al was aangekomen op de plek die hem was toegewezen en nu alleen nog maar zat te wachten tot hij afgevoerd zou worden naar het afvalputje van de geschiedenis. Hij kon niet meer *iemand anders* worden, want hij was Lang, u weet wel, die van de tv. Toen hij zijn eerste romans schreef, was hij een waarnemer geweest, iemand die tussen de schaduwen door gleed en observeerde wat daar in het licht, waar de mensen verbleven, gebeurde. Maar nu had hij zelf jarenlang in het lichtschijnsel gestaan, en wanneer hij met half dichtgeknepen ogen om zich heen keek en probeerde te vatten wat er in dit veranderlijke Finland aan de gang was, zag hij enkel duisternis en flakkerende schaduwen. Hij betrapte zichzelf erop dat hij jaloers was op de duizelingwekkende vrijheid die Sarita en Marko bezaten, maar die ze niet zagen omdat ze gevangen zaten in een oeroud spel voor twee, een spel waar de kaarten namen hadden als Wreedheid en Verlangen en Onderwerping. In Langs voorstellingsvermogen waren Sarita en Marko vrij omdat ze onbekenden waren voor de wereld: ze behoorden tot de schaduwen, gezegende schaduwen die vrijelijk konden kiezen uit ontelbare beschikbare identiteiten. Lang op zijn beurt probeerde de interviewverzoeken die het gevolg waren van de onthullingen in de roddelpers af te wimpelen met een verlegen en ontwapenende lach. 'Ik wil niet langer meedoen', zei hij dan. Maar hij merkte al snel dat de journalisten hem niet geloofden. Ze dachten dat hij koketteerde en alleen maar meer aandacht wilde en misschien zelfs financieel gecompenseerd wilde worden voor de interviews. Deze tragikomische tango, gedanst door Lang en zijn voormalige collega's van de media, hield pas op toen Lang deed wat hij het afgelopen jaar niet meer had hoeven doen: hij veranderde zijn geheime nummer en e-mailadres. Maar zolang de dans nog voortduurde, dacht hij vaak terug aan een anekdote die zendereigenaar Meriö hem tijdens het diner in mei had verteld. In Meriö's verhaal wilde een man met de naam Hamilton een biografie schrijven over de notoir mensenschuwe en al decennialang zo goed als verdwenen schrijver J.D. Salinger. Toen Salinger, zijn gewoonte getrouw, weigerde samen te werken en zelfs überhaupt niets liet horen, schreef Hamilton desalniettemin zijn boek, en hij nam wraak op zijn onderwerp door hem af te schilderen als een soort geïnverteerd pr-genie, een huichelaar die door te veinzen niet geïnteresseerd te zijn in roem en geld, dubbel zoveel geïncasseerd had als wanneer hij het volgens de spelregels van de publiciteit had gespeeld en zich niet mystiek en geheimzinnig had voorgedaan. Maar een spel volgens de spelregels zou Salinger niet hebben gered; dan zou hij al veel eerder, volgens Hamilton dan, ontmaskerd zijn als de middelmatige en gierige woekeraar die hij in werkelijkheid was. Lang begreep nu precies wat Meriö had willen zeggen. Degene die beweert dat hij alle gewoeker en huichelarij zat is, lijkt de grootste woekeraar en huichelaar van iedereen. Óf je neukt vrijwillig, óf je wordt verkracht, zo simpel is het. Een tussenweg is er niet.

Hoe dichter het naar de herfst liep, hoe meer Lang ging lijken op de tobbende en lethargische figuur die hij twee jaar eerder ook was geweest, vlak voordat hij Sarita tegenkwam. Eind september hield hij het niet langer uit met zichzelf en zijn zwaarmoedigheid, en hij begon Sarita te bestoken met berichten waarvan de formulering varieerde, maar niet de inhoud: hij wilde haar zien. Na tien dagen gaf Sarita toe. Ze werden het eens over een korte lunch in een roemrucht havenrestaurant op Sandvikskajen, maar ondanks hun poging af te spreken op neutraal terrein, eindigden ze toch op Skarpskyttegatan. Daar lag Sarita half op de bank, bijna exact op de plek waar Marko een paar maanden eerder had gezeten, en haar voeten rustten op Langs schouders terwijl hij zijn heupen zo ritmisch mogelijk bewoog en keek naar het kleine zilveren sieraad in haar navel; soms keek hij op en ontmoette Sarita's heldere, rustige en lichtelijk geamuseerde blik. Het was een middag die zowel de warmte in zich had van een ooit gepassioneerde relatie als de beginnende ijskou in vragen als 'Waarom is het zo gelopen?' en antwoorden als 'Ik weet het niet, misschien was het vanaf het eerste begin een vergissing'. Het waren echter niet de vragen en antwoorden die Lang zich achteraf zou herinneren, maar het feit dat Sarita zo veranderd was en dat het vrijen, ondanks zijn eigen grote genot, ontzettend zinloos voelde. Want hij wist de hele tijd dat zij helemaal niet geil was, maar hem om een heel andere reden zijn gang liet gaat: uit eenzaamheid, uit medelijden, omdat ze van hem hield, omdat ze hem haatte, of omdat het makkelijker was met iemand naar bed te gaan dan open en eerlijk met iemand te praten; er waren mogelijkheden te over, en Lang wist het gewoon niet.

22

Langs laatste vrijwillige optreden in het openbaar werd een paar dagen na die weemoedige middag met Sarita opgenomen. Het betrof het amusementsprogramma *Who wants to be a millionaire*, dat werd uitgezonden op kanaal 4, een betrekkelijke nieuwkomer die fel concurreerde met de zender van Meriö die *Het Blauwe Uur* had uitgezonden. Lang had vorige winter al beloofd mee te doen aan een speciale uitzending met allerlei beroemdheden, en die belofte kwam hij nu met tegenzin na. Ik moet hier benadrukken dat Lang en de andere publieke personen – politici, acteurs, musici – die deelnamen aan de drie speciale uitzendingen, dit niet deden voor eigen gewin: het geld dat ze binnensleepten ging naar goede doelen die ze zelf van tevoren hadden uitgekozen.

Het gastoptreden in een tv-studio versterkte bij Lang het pijnlijke besef dat hij op dat moment een presentator was zonder programma en een romanschrijver zonder roman om te schrijven. Daardoor was hij de hele opname chagrijnig. In een ruimte achter de studio hadden ze flink uitgepakt met koffie, wijn, belegde boterhammen en taart, en toen de gejaagde presentator Lasse Lehtinen verscheen om iets te eten begon Lang hem op prekerige toon te onderrichten over de verborgen vernederingsrituelen in de ogenschijnlijk zo gemoedelijke wedstrijdprogramma's en quizzen op de tv. Lehtinen keek op van zijn boterham, wierp Lang een verbaasde blik toe en mompelde: 'Ja, ja.' Lang vervolgde met te zeggen dat de wedstrijdprogramma's niet de speelse verstrooiing waren waar ze zich voor uitgaven. Maar, zei hij op belerende toon, ze waren een mengeling van spel en bloedige ernst; de maatschappelijke dwang die zich vanouds manifesteerde in initiatierites zoals confirmatie, dienstplicht en sollicitatiegesprekken was nu aangevuld met een 'deelnemen' dat eruitzag als een spel, en wat de deelnemers op de koop toe een moment van roem en soms zelfs wat geld opleverde. Lehtinen schudde zijn hoofd en leek steeds meer in de war gebracht, alsof hij begon te vrezen dat de man tegenover hem helemaal niet Christian Lang was, de populaire presentator van de helaas stopgezette talkshow *Het Blauwe Uur*, maar een dubbelganger die was ontsnapt uit een psychiatrisch ziekenhuis. En Lang kwam steeds meer op dreef. In werkelijkheid, zei hij in één adem, was het spel wreed, aangezien de meestal ongeroutineerde gasten hun tongen noch lichamen onder controle hadden voor de camera's. De vreemde studio-omgeving deed ze dommer en lelijker overkomen dan ze in feite waren, wat, aldus Lang, de geroutineerde en zelfverzekerde presentatoren weer intelligenter en aantrekkelijker deed lijken. Bovendien, zo had Lang Lehtinen nog willen duidelijk maken, was de hele samenleving inmiddels zo gehersenspoeld dat bijna niemand de subtiele vernederingsmechanismen doorzag in programma's als *Onmogelijke Opdracht*, waar verlegen en opgebrande vaders en moeders van middelbare leeftijd mislukten bij allerlei circuskunstjes, enthousiast aangemoedigd door hun kinderen en de presentatoren die, uiteraard, jong, slank en erg aantrekkelijk waren. In plaats daarvan, wilde Lang nog zeggen, werd iedereen vanzelfsprekend in staat geacht bestand te zijn tegen dit soort openbare vertoningen, waardoor degenen die niet wilden meedoen het etiket 'geremd' opgeplakt kregen en werden aangemoedigd in therapie te gaan, bij voorkeur bij de tv-psychiater Ben Furman. Maar Lang kreeg niet de kans zijn bondige observaties naar voren te brengen, want Lasse Lehtinen had genoeg van zijn woordenvloed; toen de gewiekste presentator de techno-artiest Darude en fotomodel Janina Frostell in de deuropening zag verschijnen aan de andere kant van de kamer, stoof hij opgelucht weg om hen welkom te heten.

Ik heb het programma gezien toen het werd uitgezonden. Lasse Lehtinen nam wraak op Lang door hem met een ironische glimlach op de lippen voor te stellen als de talkshowpresentator die ze zijn show hadden afgepakt en die nu dus in de aanbieding was, zoals Lehtinen het uitdrukte. Ondanks de koele sfeer deed Lang het goed; in hoog tempo handelde hij de eerste vijf, zes vragen af en hij had al een aardig sommetje om gelijkelijk te verdelen tussen UNICEF en de Kinderkliniek in Helsinki. Toen stelde Lehtinen hem de vraag: *Wat is de Franse uitdrukking voor obsessieve, onvoorwaardelijke liefde? A. l'amour bleu B. l'amour brut C. l'amour fou D. l'amour brulé.* Ik herinner me nog Langs gezicht toen hij in de camera keek. Hij had de ongelukkige uitdrukking van iemand die net slachtoffer geworden was van de liefde, maar tegelijk was zijn blik vol paranoïde argwaan, alsof hij opeens besefte dat de tentakels van zijn rivaal de hele wereld omspanden en dat deze vraag het werk was van die duivelse Marko. Maar Lang vermande zich. Terwijl een laag akkoord dreigend op de achtergrond bromde, keek hij Lehtinen kalm aan en antwoordde vervolgens *C. l'amour fou,* waarna een kort, opzwepend muziekfragment aankondigde dat het antwoord juist was. Een lichtflits vlamde op, en de schijnwerpers vormden een mooi, ijsblauw kristallenpatroon dat Lang en Lehtinen, die zijn gast een kille glimlach zond, uitlichtte. Lang beantwoordde nog een aantal vragen goed, hij speelde een aanzienlijk bedrag bij elkaar en kreeg, waarschijnlijk voor de laatste keer in zijn leven, positieve koppen in de avondbladen: 'Gedumpte tv-ster pijnigt hersens voor kinderleed', luidde er eentje.

Op een avond laat, ruim een week na de opname van *Who wants to be a millionaire,* zat Lang in zijn werkkamer in Villagatan en surfte doelloos van de ene website naar de andere. Zijn mobiele telefoon ging. Hij viste hem uit de binnenzak van zijn colbert, nam op en hoorde meteen dat er iets niet klopte. 'Kun je hierheen komen, Chrisschjan?' begon Sarita zonder omhaal, en haar stem klonk angstig en gejaagd. 'Hoezo?' vroeg Lang. Hij besefte dat hij onvriendelijk klonk en voegde er vlug aan toe: 'Het is al heel laat.' Er volgde een lange pauze. 'Ben je er nog?' vroeg Lang ongeduldig. 'Marko is hier', zei Sarita zacht. 'Hij zegt dat hij je moet spreken.' 'Ben je helemaal gek geworden!?' barstte Lang los. 'Als Marko iets van me wil, dan zegt hij dat maar door de telefoon, of hij komt hierheen.' Sarita antwoordde niet meteen. Langs hart ging al snel en heftig tekeer. 'Ik ben bang', zei Sarita toen onwillig. Lang dacht koortsachtig na. 'Is Miro bij jou?' vroeg hij. 'Ja,' zei Sarita, 'hij heeft koorts. Hij slaapt in mijn kamer en Marko is hem aan het instoppen, hij was zojuist op om een glas water te drinken.' 'En toch ben je bang?' vroeg Lang. 'Ja… een beetje,' antwoordde Sarita, 'hij is zo…' Ze zweeg. 'Het lijkt me het beste dat ik de politie bel', zei Lang met veel moeite en alle overtuigingskracht die hij kon opbrengen. 'Nee!' fluisterde Sarita angstig, 'dat doe je niet, je mag absoluut geen politie bellen, alsjeblieft!' 'Maar wat moet ik dan doen?' vroeg Lang gestrest. 'Kom hierheen, Chrisschjan, alsjeblieft!' zei Sarita smekend, 'hij heeft beloofd weg te gaan als hij met jou heeft gepraat.' 'Kunnen we niet over de telefoon met elkaar praten?' probeerde Lang nerveus. 'Dat heb ik ook al voorgesteld', zei Sarita. 'Maar hij zegt dat hij oog in oog met je wil staan. Sorry, Chrisschjan, dat ik dit van je moet vragen.' Zo erbarmelijk had Lang haar nog nooit gehoord. Hij zweeg enkele seconden terwijl zijn hersens een uitweg zochten, zonder er een te vinden. 'Zeg tegen Marko dat ik eraan kom', zei hij toen en op het moment dat hij het zei, had hij er al spijt van.

Terwijl Lang door het centrum reed en vervolgens over Norra Kajen en Sörnäs Strandväg naar Berghäll, nam zijn angst bij ieder huizenblok toe. In zijn fantasie werd Marko steeds groter en veranderde in een duivels beeld, een onoverwinnelijke supermens, een wrede en angstaanjagende reus in een spel dat hij, Marko, zelf had bedacht en daardoor volledig onder controle had. Lang wilde zijn auto aan de kant zetten en zijn telefoon pakken om de politie te bellen, maar zijn angst om betrokken te raken in een echt schandaal na alle narigheid die zo gemeen en onverdiend over hem was gekomen, was nog groter. Onder het rijden vroeg hij zich af waarom Sarita en hij niet openlijk hadden kunnen praten over wat er aan de hand was, toen het allang duidelijk was dat het bergafwaarts ging. Nadat hij de auto op Vasagatan had geparkeerd en op een sukkeldrafje door Fleminggatan liep, begon hij opeens beelden te zien en in zijn mond kreeg hij smaken uit zijn jeugd die hij vergeten was. Hij proefde de smaak van de Duitse hazelnoot-wafels waarop zijn oma altijd trakteerde, met vossebessensap. Hij zag de avondzon in zijn jongenskamer schijnen tijdens de jaren in de buitenwijk: een kleine, roodachtige lichtstreep die over het vale behang kroop en verdween. Hij zag een jonge oom Harry staan knutselen aan zijn zwarte Mercedes in een garage op een binnenplaats aan Linnankoskigatan, en hij hoorde Lasse Mårtensson 'Limon Limonera' zingen uit een kleine transistorradio die op de koude betonvloer van de garage stond. Lang begreep dat zijn hersens op dat moment exact werkten zoals ze volgens zeggen doen bij drenkelingen of anderen die weten dat ze op het punt staan te sterven; hij vroeg zich alleen af waarom de herinneringen die in hem bovenkwamen zo buitengewoon klein en banaal waren.

Sarita stond beneden in het trappenhuis te wachten. Ze liet Lang binnen, en naar wat hij zich later herinnerde, namen ze onder diep stilzwijgen de lift naar haar appartement. Toen Lang over de drempel stapte, trof hij een bijna donkere woning aan en nog meer stilte. Sarita keek hem bezorgd aan en riep voorzichtig naar binnen: 'Marko!' geen antwoord. 'Miro is vast weer wakker geworden. Marko is zeker naar hem toe gegaan', zei Sarita en ze liep door de woonkamer en keuken om in de slaapkamer te verdwijnen. Lang deed zijn schoenen uit, liep het appartement binnen en ging ouder gewoonte voor het woonkamerraam staan en keek over de binnenplaats naar de overburen. Geen uitgestrekte benen, geen blote voeten en geen voetenbankje aan de overkant; misschien was de overbuurman verhuisd. Lang begon te fluiten om de angst op afstand te houden. Hij ging aan de keukentafel zitten, nog steeds fluitend, en wachtte tot Sarita en Marko uit de slaapkamer tevoorschijn zouden komen. Opeens trok er iemand hard aan zijn benen zodat hij van zijn stoel af gleed en met zijn kin tegen de rand van de keukentafel sloeg. Het volgende moment lag hij op de grond en Marko wurmde zich tevoorschijn uit zijn verstopplek onder tafel en wierp zich boven op hem. Algauw zat Langs keel als in een bankschroef tussen Marko's gespierde bovenarm en pezige onderarm. 'Ik heb je gewaarschuwd, Lang! Ik heb je van de zomer gewaarschuwd, of niet soms?' siste Marko verbeten. Lang vocht om lucht te krijgen en los te komen, en hij slaagde er niet in geluid voort te brengen. Hij hoorde hoe Sarita aan kwam stormen uit de slaapkamer. Ze schreeuwde, maar slechts halfluid, om Miro niet wakker te maken: 'Marko! Alsjeblieft! Hou op, je hebt het beloofd!' Marko nam geen notitie van haar en verstevigde zijn greep, zodat het zwart werd voor Langs ogen. Lang hoorde de met haat vervulde stem van de ander vlak bij zijn oor: 'Je hebt weer boven op haar gezeten, jij rijkeluisklootzak! Je hebt weer met je lul in haar kut gezeten! Ik vermoord jullie godverdomme allebei!' Lang probeerde tegen Sarita te roepen dat ze hem moest komen helpen, maar hij bracht slechts een hees gekras uit, en vanuit zijn ooghoeken meende hij vaag te zien dat Sarita een stukje bij hem en Marko vandaan was blijven staan en hun gevecht met opengesperde ogen en een hand voor haar mond gadesloeg. Hij balde zijn vuist en richtte een achterwaartse op de plek waar hij Marko's hoofd vermoedde, en voelde dat de slag raak was. Tegelijkertijd zette hij kracht en slaagde er met enorme inspanning in zich min of meer los te maken uit Marko's greep. Hij kreeg een tafelpoot te pakken en had zich al half opgericht toen Marko zich nogmaals op hem wierp. Dit keer viel Lang op zijn rug en sloeg met zijn achterhoofd tegen de grond, en toen hij probeerde overeind te komen zat Marko al op zijn buik en hield met twee handen zijn keel in een stevige greep. Lang zag opeens dat Marko's onderarmen ontsierd werden door kleine, witte vlekjes, ze zagen eruit als littekens van oude brandwonden. Toen voelde hij hoe Marko's sterke vingers zich rond zijn keel sloten en drukten, en hij besefte dat hij zou sterven; hij kon het zelf niet verhinderen, Sarita kon het niet verhinderen, niemand kon verhinderen dat het zou gebeuren. Toen kwam Miro plotseling binnenstormen, hij kwam als vanuit het niets, hij had koortsroosjes op zijn wangen, zijn blonde haar zat in de war en zijn ogen glansden toen hij op Marko af vloog en zijn arm pakte en eraan begon te trekken, terwijl hij huilde en schreeuwde: 'Papa! Papa! Marko! Marko! Niet doen! Niet doen!' Nadat Miro zo'n tien seconden zijn naam had geroepen en aan zijn arm had gerukt, stortte Marko volledig in elkaar. De tranen stroomden al over zijn wangen nog voordat hij zijn greep om Langs keel verslapte, en vervolgens stond hij op van de grond en liep naar de woonkamer waar hij op de lage bank ging zitten. Hij begroef zijn hoofd in zijn handen en huilde wanhopig, en terwijl hij huilde, snotterde hij: 'Ik haat jullie allemaal! Ik haat deze hele klotewereld!' Lang krabbelde op van de vloer en ging op een keukenstoel zitten. Sarita stond tegen de muur vlak naast de slaapkamerdeur geleund. Ze huilde, zij ook, maar of het was vanwege de schok over Marko's gedrag, of over het feit dat ze niet in staat was geweest in te grijpen, kon Lang niet uitmaken; hij was zelf volledig lamgeslagen. Marko bleef op de bank zitten, maar door zijn tranen heen mompelde hij onophoudelijk gesmoorde vloeken, en Lang verloor hem niet uit het oog. Miro huilde niet meer, hij snifte en snotterde nog een beetje na, en opeens liep hij naar zijn vader en omhelsde hem waar hij zat en zei: 'Niet huilen, Marko.' Sarita wierp Lang een hulpeloze en gelaten blik toe, alsof ze zeggen wilde: het is zielig voor Marko, híj is zielig, dat begrijp je toch wel, Chrisschjan? Lang schudde zijn hoofd en zei hardop tegen de man op de bank: 'Je bent ziek, Marko. Je moet je laten behandelen, dat begrijp je zeker wel?' Toen keek hij Sarita recht in de ogen en hij vroeg zacht: 'Wie haat hij nu eigenlijk?' Sarita antwoordde niet. Ze verliet haar plek bij de slaapkamerdeur, passeerde Lang op een armlengte afstand en liep naar Marko. Ze ging naast hem op de bank zitten en begon op een fluisterende, smekende toon tegen hem te praten. In het begin zei Marko niets. Lang vermoedde dat Sarita hem pro-beerde over te halen weg te gaan, een vermoeden dat bevestigd werd toen Marko zijn hoofd optilde, naar Lang keek en snot-terde: 'Alleen als je belooft dat hij ook vertrekt.'

Twintig minuten later verliet Marko het appartement. Hij had toen een tijd met Miro in de slaapkamer gezeten, en hij had Sarita zijn excuses aangeboden, maar Lang had hij geen blik waardig gekeurd. Even later zou ook Lang vertrekken en hij vroeg Sarita of ze met hem mee kon lopen naar de auto. Sarita schudde haar hoofd en zei dat ze Miro niet alleen kon laten, ze moest daar blijven om het jongetje in slaap te sussen; dat was het minste wat ze kon doen na de verschrikkelijke scène die hij had moeten meemaken. Bovendien kende ze Marko door en door en ze kon garanderen, zei ze, dat hij echt was weggegaan en hem niet zou staan opwachten. Toen Lang de lift naar beneden nam, wist hij echter zeker dat Marko op de benedenverdieping of op straat in een hinderlaag zou liggen. Toen hij naar Vasagatan liep, keek hij voortdurend over zijn schouder achterom, en nadat hij het autoportier had ontsloten, controleerde hij of Marko hem soms op de achterbank lag op te wachten. Voordat hij wegreed, deed hij alle portieren aan de binnenkant op slot en hij was er constant op verdacht, met angst in zijn hart, dat Marko zich zou materialiseren uit een van de lange schaduwen langs de huisgevels en zich op de motorkap zou werpen en brullen 'Stop de auto, Lang! STOP DE AUTO, JIJ RIJKELUISKLOOTZAK!' Maar er gebeurde niets, en Lang reed langzaam en voorzichtig naar huis door de koude, heldere nacht.

23

Er is nog een gebeurtenis die verteld moet worden, een gebeurtenis van een heel andere aard. Volgens Lang vond deze plaats op een van de eerste dagen van november, een paar weken dus voor de nacht dat Lang me belde om om hulp te vragen, en het allemaal al te laat was.

Het was op een middag, het schemerde al. Lang had, vertelde hij, een paar uur doorgebracht in de winkels en warenhuizen in het centrum. Hij had gloeilampen gekocht, een roman van Siri Hustvedt – deze was afgeprijsd, herinnerde hij zich – een oude Van Morrison-cd en een kleine, kant-en-klare kip chow mein. Nu liep hij naar huis, om precies te zijn op een sukkeldrafje, want het regende en hij had geen paraplu. Op het trottoir in Skarpskyttegatan lag een oude vrouw. Ze was vormeloos dik, haar gezicht was opgezet en roodgevlekt en bedekt met etterige zweertjes, ze was gekleed in een ouderwetse donkerblauwe overall en een ongelofelijk smerige trenchcoat die ooit wit was geweest. Naast haar lagen twee plastic tassen met lege flessen. Ze was bij bewustzijn: ze lag met wijdopen ogen omhoog te staren naar de loodgrijze hemel, terwijl de gestaag vallende regen over haar kapotte wangen stroomde. Lang wilde haar voorbijlopen, zoals hij ontelbare malen eerder had gedaan in vergelijkbare situaties. En dat deed hij ook; hij passeerde de vrouw met snelle, resolute stappen zonder naar haar te kijken. Maar toen gebeurde er iets. Hij kon het niet. *Hij kon haar daar niet zo laten liggen.* Hij stopte. Hij draaide zich om en liep terug naar de vrouw, bleef een paar passen bij haar vandaan staan en vroeg: 'Wat is er aan de hand? Kun je niet opstaan?' Hij hoorde zelf hoe streng en ongeduldig het klonk, en hij had wel een idee waarom: op deze afstand al kon hij de penetrante stank van zweet en urine en uitgekotste alcohol ruiken, en die lucht deed hem intens walgen. De vrouw probeerde hem antwoord te geven, maar ze kwam niet verder dan wat keelgeluiden die Lang niet kon duiden. Hij bukte zich, greep de vrouw onder de oksels en begon haar voorzichtig op de been te helpen. Ze gromde en vloekte terwijl hij bezig was, en een paar goedgeklede moeders die net hun kinderen uit de basisschool ophaalden aan de overkant van de straat, keken verbaasd naar Lang voordat ze hun kinderen resoluut in de wachtende, ruime auto's schoven. Toen Lang de vrouw eindelijk overeind had, zwaaide ze heen en weer als in een storm en haar benen weigerden haar te dragen. Hij moest haar enkele minuten vasthouden voordat ze zo stevig stond dat hij haar met één hand kon ondersteunen en met de andere de plastic tassen met lege flessen kon optillen, waarna hij haar de misschien vijftig passen naar een bankje begeleidde dat in de richting van de Johanneskerk stond. Lang werd onpasselijk van de stank van urine en kots, en hij verlangde er hevig naar om naar huis te gaan en zijn handen met veel zeep te wassen onder stromend, gloeiend heet water. Toch ervoer hij in deze minuten iets, zei hij tegen mij, wat bijna leek op een openbaring. Want het werd hem opeens duidelijk dat dit was wat miljoenen en nog eens miljoenen mensen overal ter wereld iedere dag deden: ze zorgden, ze voelden zich betrokken, ze probeerden degenen die gevallen waren op te rapen. Lang wist natuurlijk dat sommige mensen dat gewoon deden voor hun dagelijks brood, terwijl anderen het puur uit plichtsbesef deden. Maar er waren ook duizenden en nog eens duizenden mensen die het uit liefde deden. En bovendien: speelde het motief eigenlijk wel een rol, ging het niet vooral om de handeling zelf? Het enige wat Lang wist toen hij daar in de hardnekkig vallende regen stond en de stinkende vrouw bij de arm hield, was dat het schild dat hij had opgebouwd tegen de werkelijkheid niet langer standhield: de muren waren ingestort en Lang kon niet langer verdringen dat hij zich ondanks zijn ontwijkende aard, ondanks zijn rollenspel en uitvluchten toch betrókken voelde, en dat hij dat altijd geweest was. Hij, die anderen altijd had voorgehouden dat ze zich moesten aanpassen aan de werkelijkheid omdat ze anders ten onder zouden gaan, besefte opeens hoe gevaarlijk het was zich al te bereidwillig aan te passen aan diezelfde werkelijkheid. Hij, die er altijd troost uit had geput dat er geen metafysisch kwaad bestaat, herinnerde zich nu de oude bewering dat onverschilligheid het grootste kwaad is, en hij voelde opeens dat hij niet langer kon verdragen dat mensen hun zwakheid en weekhartigheid maskeerden met hardheid, bedrog en wreedheid. Lang voelde hoe het vermogen tot liefde en edelmoedigheid zich stijf en log in hem bewoog, en hij zette de verward mompelende vrouw op het bankje, plaatste de plastic tassen naast haar en zei, zonder dat hij zelf merkte dat hij haar met u aansprak: 'Redt u het zo, denkt u? U hebt toch wel een plek om te slapen? Ik moet nu gaan, namelijk. Probeert u zich te redden.'

Over de twee novemberweken die aan de noodlottige nacht voorafgingen, weet ik niet veel; Langs plotse gebrek aan me-dedeelzaamheid gold niet alleen de laatste donkere uren, maar de hele periode ervoor. Maar uit zijn schaarse verklaringen en onwillige erkenningen heb ik opgemaakt dat hij Sarita twee keer heeft ontmoet tijdens deze regenachtige weken. Ook het rechtbankprotocol bevestigt deze veronderstelling. De ene keer moeten ze een hapje hebben gegeten aan een stil hoekta-feltje in een tex-mexrestaurant in het Östra Centrum. De tweede keer – naar alle waarschijnlijkheid maandag 13 novem-ber – gebruikten ze de lunch in een Grieks restaurant op Bergmansgatan en brachten vervolgens, ook al weigerden Lang en Sarita dit om een of andere reden toe te geven tijdens het proces, de middag door in Langs bed. Uit Langs korte en ontwijkende antwoorden op mijn vragen over die middag kreeg ik de indruk dat hij nieuwe, verse tekenen van mishandeling op Sarita's lichaam had ontdekt. Nog een detail dat aangeeft hoe precair de situatie moet zijn geweest, is dat Sarita toen de maand november ruim een week oud was, besloot om Miro thuis te houden van school – 'voor een tijdje', zoals ze het uitdrukte tegenover de directeur van de basisschool – en hem naar Virpi en Heikki in Tammerfors stuurde.

Wat de laatste avond en nacht aangaat was Lang net zo zwijgzaam en vaag als hij spraakzaam en exact was geweest over alles wat er in de voorgaande jaren was gebeurd. Dat heeft me lange tijd verbaasd, tot ik zo langzamerhand een mogelijke en zelfs waarschijnlijke verklaring vond, waar ik later op zal terugkomen. Hoe dan ook, wat betreft de gebeurtenissen zelf ben ik aangewezen op Langs verhaal, dat erg kort was in de rechtszaal en al even summier in een latere brief aan mij.

Blijkbaar had Sarita hem weer opgebeld, dit keer rond half-elf 's avonds. Waarschijnlijk had ze gezegd dat Marko gedreigd had langs te komen, dat hij zelf sleutels had en dat ze bang was. Waarom Lang ook dit keer geen contact opnam met de politie en waarom hij weer in de Celica stapte en met een noodgang door de stad reed, zijn vragen die alleen hijzelf kan beantwoorden. Tegen mij zei hij dat hij tegen die tijd emotioneel te zeer verdoofd was om überhaupt stil te staan bij het gevaar dat hij liep wanneer hij weer met Marko geconfronteerd zou worden. Hij herinnerde zich een paar vermoeide maar weloverwogen gedachten over hoe verkeerd hij zijn vijand had beoordeeld, hoe hij nadat ze in oktober slaags waren geraakt, nu wist dat Marko helemaal geen onoverwinnelijk supermens was, maar eerder een doodgewone, ouderwetse man met een hart en een ziel, ook al waren die zwaar beschadigd. Toen was bij Lang de gedachte opgekomen dat Marko op dat moment misschien net zo bang was als hijzelf, en hij voelde zich opeens vervuld van een wil om te praten en te communiceren en te helpen; hij wilde boete doen voor het foute leven dat hij had geleid, hij wilde alle verzuim goedmaken waaraan hij zich schuldig had gemaakt, tegenover Estelle, tegenover Anni en Johan, tegenover Sarita en Miro, ja, zelfs tegenover Marko.

Marko blijkt vóór Lang op Helsingegatan te zijn gearriveerd; waarom Sarita de veiligheidsketting er niet op had gedaan en niet geweigerd had haar ex-man, die ernstig uit zijn evenwicht was, binnen te laten, behoorde tot een van de vele vragen die onbevredigend werden beantwoord, zowel tijdens de politieverhoren als het proces. Bij de buitendeur zat een luciferdoosje in het slot gepropt zodat hij open was en toen Lang de lift naar boven had genomen en voor Sarita's deur stond, hoorde hij daarbinnen het geluid van gedempte maar ruziënde stemmen. Op zeker moment liet Sarita toen, met of zonder Marko's goeddunken, Lang binnen, en daarna ging alles erg snel; zo snel, de facto, dat de buren geen tijd hadden te reageren en de politie te bellen voordat het weer stil werd. Er ontstond een handgemeen tussen Lang en Marko en in dat gevecht kreeg Marko de overhand en hij nam Lang in een wurggreep; zo verklaarde Lang tenminste de rode striemen die hij in zijn nek had toen hij werd aangehouden. In dat stadium smeekte Sarita hen op te houden met vechten voordat er iemand gewond raakte, en tot haar eigen verbazing slaagde ze erin de vechtpartij te sussen. Maar na een poosje relatieve rust, die waarschijnlijk met heftige beschuldigingen over en weer gepaard ging, vloog Marko Sárita aan, en dat met zo'n kracht dat Lang tijdens het proces zei dat hij het had beoordeeld als levensbedreigend voor Sarita. En toen had Lang in zijn vertwijfeling de zware gietijzeren koekenpan gegrepen die op Sarita's fornuis stond. Hij richtte een woeste en onbezonnen slag op Marko's achterhoofd, een klap waarvan het effect nog versterkt werd doordat Marko in zijn val met zijn hoofd tegen de rand van het aanrecht sloeg. Daarop stortte Lang zich op de bewusteloze en mogelijk al dode Marko, hief de giet-ijzeren pan en bracht hem nog twee slagen toe: beide raakten hem in de buurt van zijn slaap, aan de linkerkant.

Sarita werd vervolgens, getuigde Lang, hysterisch en wilde de politie bellen. Zelf herinnerde ze zich volgens het proces-verbaal van de rechtszitting niets van de uren direct na de doodslag; ze verkeerde in een toestand van acute shock en kwam pas de volgende ochtend bij zinnen, toen ze zich uit eigener beweging bij de politie meldde. Lang ruimde zo goed en zo kwaad als het ging op en trok vijf grote vuilniszakken over Marko heen, drie over zijn benen en twee over zijn hoofd, die hij in het midden aan elkaar bevestigde met schilderstape. Daarna rolde hij het pakket in Sarita's grote slaapkamerkleed en zeulde het in zijn eentje de lift in. Hij nam afscheid van de verwarde en huilende Sarita en probeerde haar ervan te over-tuigen dat alles goed zou komen, en eenmaal op de begane grond verstopte hij het kleed in de donkere gang naar de binnenplaats waarna hij de Celica ging halen die bij het Björn-park geparkeerd stond. Ergens onderweg – dat bleek uiteraard niet tijdens het proces – stopte hij bij een telefooncel om mij te bellen en zijn verzoek om hulp af te raffelen. Dankzij de regenachtige en winderige nacht lag Helsingegatan er verlaten en donker bij, en daardoor slaagde Lang erin ongezien het kleed met zijn bizarre inhoud in de kofferbak van de sport-wagen te proppen, waarna hij naar Tölö Torg reed waar ik stond te wachten.

Lang werd gearresteerd in een bosje niet ver van een chique woonwijk in Esbo, een paar minuten voor halfzes in de och-tend. Hij werd op heterdaad betrapt: de kuil was bijna klaar en het opgerolde kleed met Marko's lijk erin lag op de rand te wachten om erin geduwd te worden en bedekt met aarde. Nadat ik was vertrokken uit het Teboilcafé in Brunakärr had Lang eerst lukraak rondgereden, in paniek en niet wetend

wat te doen, maar vervolgens had hij besloten Marko te begraven in het dichte en verwilderde bos in Mankans; hij had
daar een paar jaar gewoond tijdens zijn tweede huwelijk, waardoor hij de plek kende.

De politie had het aan een nog niet zindelijke labradorwelp,
Ozmo genaamd, te danken dat Lang zo snel werd gegrepen.
Ozmo's baasje, of liever gezegd de vader van een gezin met vijf
kinderen waarvan de drie dochters net zo lang om een hond
hadden gezeurd tot ze er eentje kregen, liet het beestje al om
halfvijf 's ochtends uit en zag toen in de verte een man een lang
en log voorwerp het bos in slepen. De hondenbezitter werd
wantrouwig en belde de politie. Een patrouillewagen was een
kwartier later al ter plaatse, maar vanwege de ongebruikelijke
aard van de melding besloten de twee politieagenten om ver-
sterking te vragen. Een hondenpatrouille arriveerde om dertien minuten over vijf, en zodoende werd Lang ingerekend
door een troepenmacht een bekend persoon en voormalig
mediaheld waardig: vijf bewapende agenten en twee goed
getrainde herdershonden die, herinnerde Lang zich later, laag
gromden op het moment dat het verblindende zoeklicht aan-
ging en het eerste snerpende commando klonk. Langs enige
commentaar achteraf was dat hij niet begreep hoe de politie
erin geslaagd was zo dichtbij te komen zonder dat hij iets had
gemerkt; het was immers donker, zei hij huiverend, pikdonker
op de smalle lichtkegel van zijn zaklantaarn na, maar het was
ook stil, dus hij moest zo goed als doof van paniek en angst zijn
geweest aangezien hij niets had gehoord, geen voetstappen die
dichterbij kwamen, geen krakende takken, helemaal niets,
totdat hij daar tegen het scherpe licht in stond te knipperen,
de commando's hoorde en begreep dat alles voorbij was.

24

Tijdens het proces legde de verdediging grote nadruk op het recht op zelfverdediging van het individu – er werd uiteraard uitgegaan van dood door schuld en noodweer – en er werd veel nadruk gelegd op het feit dat niet alleen Sarita maar ook Lang in een toestand van shock en paniek was geweest al voordat de dodelijke klappen vielen. Lang nam zelf vele malen het woord, en bij een van die gelegenheden zei hij volgens het proces-verbaal: 'Diep vanbinnen zijn we nog steeds wilde dieren. We reageren nog precies hetzelfde als onze verre voorvaderen toen die de sabeltijger tegenkwamen, en daar kunnen we niets aan doen. Er is niets vreemds en niets amoreels in het feit dat een mens in levensgevaar een ander doodt.'

Achteraf kon ik alleen maar stiekem lachen over al dat geklets over shock en paniek. Want Lang was niet zo paniekerig geweest na de doodslag of hij had de tegenwoordigheid van geest gehad mij uit een telefooncel te bellen in plaats van zijn mobiele telefoon te gebruiken, waarvan de gesprekken veel makkelijker te achterhalen waren. Zelf was ik, zoals ik bij wijze van inleiding al schreef, in die tijd doodsbang om buiten mijn schuld betrokken te raken bij het publiekelijk buitenhangen van de vuile was rond Lang en zijn misdaad. Maar nu, nadat ik dit geschreven heb, ben ik bereid de eventuele gevolgen van mijn eerlijke recapitulatie te dragen; al geloof ik niet dat ik na zo lange tijd aangeklaagd zal worden voor medeplichtigheid aan het verhullen van een misdaad.

Nog een pikant detail is dat de aanklager in zijn pleidooi probeerde te suggereren dat de doodslag zelf misschien slechts het topje van een ijsberg was. Hij bedoelde dat Lang zwaar betrokken zou zijn bij Marko's drugshandel en andere zaken, en zijn *partner in crime* gedood zou hebben vanwege financiële geschillen. De aanklager wees er onder andere op dat Lang eerder twee politieagenten recht in hun gezicht had voorgelogen door te zeggen dat hij Marko niet kende, hoewel er toen al bevestigd kon worden dat ze samen in de kroeg waren gezien en zelfs hadden zitten praten in Langs auto. Hier verdedigde Lang zich met dezelfde kracht en gedecideerdheid als hij eerder tijdens het proces de verantwoording voor Marko's dood op zijn schouders had genomen; hij wees onder andere op zijn rol als publiek persoon, wat zijn mogelijkheden om actief te zijn in de drugshandel of heling zeer beperkte aangezien hij onmiddellijk gepakt zou worden.

De aanklager deed ook zijn best Sarita veroordeeld te krijgen voor een vergaande medeplichtigheid aan de misdaad. Hij wees op vele details die niet klopten, waaronder het feit dat er helemaal geen verwondingen, blauwe plekken of andere sporen van de door haar aangevoerde aanval van Marko op haar lichaam zichtbaar waren, de aanval waardoor Lang dacht dat Sarita in levensgevaar verkeerde en die zodoende de vertwijfelde klappen met de gietijzeren pan had uitgelokt. De aanklager meende ook dat de getuigenissen van hoe Sarita voor, tijdens en na de misdaad had gehandeld, vaag en onbevredigend waren: de verdediging verstopte zich, aldus de aanklager, op een ongehoorde manier achter de shocktoestand waarin Sarita zich zou hebben bevonden, maar waar ze nauwelijks in terecht kon zijn gekomen vóór de misdaad. Verder maakte de aanklager de rechter erop attent dat de getuigenissen van Lang en Sarita wel erg eensluidend waren, alsof ze het van tevoren hadden ingestudeerd. Maar al deze aanwijzingen en speculaties wogen niet op tegen het onomstotelijke feit dat Lang de doodslag bekende, en in één adem door Sarita bereidwillig afschilderde als teerhartig en gevoelig en al langere tijd lamgeslagen van angst vanwege de escalerende vijandigheid tussen Marko en hem.

Sarita ging dus volledig vrijuit. Er werd haar een maatschappelijk werker van de gemeente Helsinki toegewezen die speciaal toezicht moest houden op haar en Miro's leven, het eerste jaar na het proces, maar verdere gevolgen bleven uit. Eigenlijk heb ik nooit geloofd in de honderd procent schuld die Lang op zich nam. Er waren diverse lacunes en een schreeuwend gebrek aan logica in hun eensluidende beschrijvingen van hoe de doodslag had plaatsgevonden. Ook de aanklager besefte dat, maar hij zag geen mogelijkheden zijn vermoedens te bewijzen.

Ik kan bijvoorbeeld moeilijk geloven dat Marko zijn wurggreep om Langs keel loslaat alleen maar omdat Sarita dat van hem vraagt, om vervolgens haar aan te vliegen. Mijn belangrijkste bedenking is dat hij Lang nooit zijn onbeschermde rug zou hebben toegekeerd, niet na alle ontmoetingen vol onderdrukte bedreigingen, zeker niet na hun gevecht in datzelfde appartement in oktober, en al helemaal niet als hij inderdaad kort tevoren had geprobeerd Lang te wurgen. Daarentegen kun je je voorstellen dat Marko Sarita nog steeds vertrouwde en geen gevaar van die kant verwachtte; zelfs toen hij bezig was Lang te wurgen ging hij ervan uit dat Sarita door zijn macht over haar niet in staat was te handelen. Fysiek was Sarita sterk genoeg om de slag met de gietijzeren pan uit te delen; ze was ruim 1.70 m lang en via Lang weet ik dat ze regelmatig trainde. Ook haar vingerafdrukken zaten, net als die van Lang, op het handvat van de koekenpan.

Over Lang valt verder weinig meer te zeggen. Na zijn woedeuitbarsting tijdens mijn laatste bezoek in de gevangenis wisselden we nog een enkele brief. Hoewel zijn boosheid over de manier waarop ik met zijn verhaal omsprong langzaam was weggeëbd, werden zijn brieven steeds korter en de toon steeds meer afgemeten. Op het laatst bevatten de brieven helemaal geen informatie meer, in ieder geval niets wat een nieuw licht op de gebeurtenissen kon werpen. In de laatste brief bedankte

Lang me in droge bewoordingen voor het feit dat ik interesse had getoond voor zijn situatie, en hij hoopte – niet zonder ironie in de formulering – dat mijn boek over hem een succes zou worden wanneer ik te zijner tijd besloot het uit te geven. Als afsluiting van de brief volgde een aantal aforistisch toegespitste gedachten over de enorme onverschilligheid van het leven dat altijd doorgaat, hectisch en rusteloos, in nonchalante weerwil van zowel met aandacht overspoelde als volledig genegeerde rampspoeden. Daarna begonnen mijn brieven ongeopend retour te komen, en als antwoord op mijn vragen deelde de gevangenisdirecteur mij mee dat Lang zijn advocaat opdracht had gegeven ze ongeopend terug te sturen. Volgens de directeur had Lang zich volledig van de buitenwereld afgezonderd en onder andere opdracht gegeven al zijn post, ook de persoonlijke brieven, ter sortering en afhandeling naar zijn advocaat te sturen. Op mijn directe vraag antwoordde de directeur dat Lang zijn tijd doorbracht met het lezen van boeken en het studeren van talen, en dat de enige bezoekers die hij het laatste halfjaar had ontvangen Johan en Estelle waren, die ieder één keer de gevangenis hadden bezocht.

Soms heb ik troost gezocht in de gedachte dat Lang nu tijd had te genezen van de geestelijke verstening die zijn hoge levenstempo met zich had meegebracht; ik stelde me voor dat hij de jaren gebruikte in gedwongen ruimtelijke onbeweeglijkheid om zijn levende kern terug te vinden. Een andere en minstens zo aannemelijke mogelijkheid is dat hij psychisch geknakt was. Over een paar maanden komt hij voorwaardelijk vrij. Dan zullen we het weten. En dan zal ik er ook achter komen hoe hij ertegenover staat dat ik uiteindelijk toch dit verhaal heb gepubliceerd.

Er is nog iets wat ik moet vertellen. Tijdens de inleidende werkzaamheden voor dit boek ging ik op zoek naar Sarita met de bedoeling haar te interviewen, maar ze was spoorloos ver-

dwenen. Bijna twee jaar na Marko's dood, toen ik al een
tweede versie had geschreven nadat Lang zo furieus gereageerd
had op de eerste, kwam er een ander boek van mij uit, een op
z'n hoogst middelmatige roman over de recente geschiedenis,
die tot mijn verbazing ontzettend populair werd. Hij verkocht
niet alleen goed, maar werd ook genomineerd voor diverse
literaire prijzen en leverde me bovendien een uitnodiging op
voor het gala op Onafhankelijkheidsdag op het presidentiële
slot. Die zesde december gleden Gabi en ik, zij in een mooie
wijnrode kokerjurk en ik in een gehuurd jacquet, na de ont-
vangst van de ene zaal naar de andere en vergaapten ons aan alle
bekende personen en éminences grises die we tegenkwamen:
tot de eerste groep behoorde V-P Minkkinen met een nieuwe,
broodmagere vriendin, en tot de andere de nu bijna grijze
Rauno Meriö, nog steeds met een paardenstaartje in zijn nek.
Betrekkelijk vroeg in de avond, nadat Gabi en ik de drukte
hadden getrotseerd en op een langzaam nummer hadden gedanst in de balzaal, zochten we een kleinere ruimte op waar
beroemdheden, persfotografen en het tv-team zich verdrongen; daar viel mijn oog op een lange, donkerharige vrouw aan
de overkant van de kamer. Ze droeg een mooie, turkooizen
jurk die haar rug tot onder haar middel bloot liet, en ze stond
gearmd met een jongere man die gekleed was in een zeer goed
zittend jacquet, maar die afstand nam van de burgerlijke con-
venties door een zonnebril te dragen en een helderblauwe
vlinderstrik in plaats van de gangbare witte. Plotseling draaide
de vrouw haar hoofd mijn kant op, en toen herkende ik ineens
de brede maar mooie mond, de wipneus en het slanke figuur-
tje: Sarita. Hoewel we behoorlijk ver bij elkaar vandaan stonden en ik haar slechts één keer had ontmoet, wist ik zeker dat zij
het was. Mijn hart begon sneller te kloppen. Ik dacht aan mijn
opgesloten collega en jeugdvriend en aan hoe hij zich vrijwillig
had geïsoleerd van de buitenwereld, en voor het eerst in mijn
leven voelde ik medelijden met Christian Lang. Maar

tegelijkertijd glimlachte Sarita om iets wat haar cavalier in haar oor fluisterde, en werd ik verblind door haar verschijning en ik kon niet nalaten me af te vragen of die glimlachende vrouw die ik voor me zag echt in staat was haar voormalige minnaar en de vader van haar zoon met een gietijzeren koekenpan tegen zijn slaap te meppen nadat ze hem al tot bloedens toe en bewusteloos had geslagen. Ik voelde dat ik niet zou rusten eer ik de antwoorden had die nu nog ontbraken. Ik zei tegen Gabi dat ik naar het toilet moest en vroeg haar te wachten, terwijl ik mezelf met mijn ellebogen een weg begon te banen door de menigte toneelspelers, zangers, politici en paparazzi. Maar toen ik aan de andere kant van de kamer was gekomen, waren Sarita en haar cavalier verdwenen. Ik nam aan dat ze de aangrenzende bibliotheek in waren gelopen voor een glas bowl en ging achter ze aan, maar ook daar waren ze niet. De rest van de avond was ik naar haar op zoek, maar tevergeefs.

Nawoord

Degene die een roman schrijft, leent bewust of onbewust gedachten van anderen en modificeert ze. Deze roman bevat gedachten geïnspireerd door boeken en artikelen van onder andere Paul Virilio, Claudio Magris, Olga Tokarczuk, Johan Asplund, Kerstin Vinterhed en Trygve Söderling. Op pagina 116 staat een citaat uit Francis Ford Coppola's film *Rumble Fish*.

Ik wil ook onderstrepen dat de voor een Finse lezer bekende personen die voorkomen in het verhaal in dit verband beschouwd moeten worden als fictieve personen.

Helsinki, 2 juni 2002
K.W.

UE   6/05
HA   12/05
VIVĒ   11 | 2011
SINT   03 | 2012